JEUNESSE

MON BEL ORANGER

Michael Ende est né en 1929 à Garmisch-Partenkirchen. Fils du peintre surréaliste Edgar Ende, il a d'abord reçu une formation théâtrale et exercé le métier d'acteur. En 1954, il s'établit à Munich comme écrivain. Plusieurs de ses livres pour enfants ont été, comme *Momo*, couronnés de prix littéraires, en particulier *L'histoire sans fin*, roman initiatique, traduit en plusieurs langues et qui a inspiré un film.

Michael Ende, marié à une Japonaise, vit actuellement en Italie, près de Rome.

MOMO

MICHAEL ENDE

MOMO

ou
*La mystérieuse histoire
des voleurs de temps et de l'enfant
qui a rendu aux hommes le temps volé*

Roman/conte

Traduit de l'allemand
par Marianne Strauss

———

Hachette/Stock

L'édition originale de ce roman
a été publiée en langue allemande
par K. Thienemanns Verlag, Stuttgart,
sous le titre :
MOMO, EIN MÄRCHE-ROMAN

© K. Thienemanns Verlag, 1973.
© Stock, 1980.

Ta lumière brille dans la nuit.
D'où elle vient, je ne sais.
Tu sembles si proche et en même
    temps si loin.
Je ne connais pas ton nom.
Je ne sais pas qui tu es,
Mais brille, brille, brille, petite étoile.

*(D'après une vieille chanson enfantine
                        irlandaise.)*

Première Partie

Momo et ses amis

1

Une grande ville
et une petite fille

Dans les temps très anciens, alors que les hommes parlaient encore des langues toutes différentes les unes des autres, il y avait déjà, dans les pays chauds, de grandes villes magnifiques où les rois et les empereurs habitaient d'admirables palais. Il y avait de larges avenues, des petites rues étroites et des ruelles tortueuses. Il y avait aussi des temples extraordinaires avec des dieux sculptés en or et en marbre. Sur les marchés de toutes les couleurs, des marchandises du monde entier étaient exposées, et les gens se retrouvaient sur de belles grandes places pour discuter des dernières nouvelles, faire des discours ou les écouter. Mais surtout, il y avait de grands théâtres.

Ces théâtres ressemblaient aux cirques d'aujourd'hui, à la différence qu'ils étaient entièrement construits de grands blocs de pierre. Les rangs de sièges destinés aux spectateurs étaient en gradins, et le tout ressemblait à un immense entonnoir. Vus d'en haut, certains de ces édifices étaient en forme de cercle, d'autres plutôt ovales, d'autres encore semblables à de vastes hémisphères. On les appelait des amphithéâtres.

Il y en avait de grands comme des stades de football, de plus petits qui ne pouvaient héberger que quelques centaines de personnes. Il en était de somptueux, ornés de colonnes et de statues, d'autres tout simples, sans ornements. Ces amphithéâtres n'avaient pas de toit ; tout se déroulait à ciel ouvert. C'est pourquoi, dans les théâtres somptueux, de beaux tapis brodés de fils d'or étaient tendus qui protégeaient les spectateurs de la chaleur du soleil et des pluies intempestives. Dans les théâtres plus modestes, des nattes d'osier et de paille remplissaient le même rôle. En un mot, les théâtres étaient toujours construits en fonction des moyens de ceux qui les fréquentaient. Tous les gens en voulaient, car tous étaient des auditeurs et des spectateurs passionnés. Ils avaient l'impression, en regardant ce qui se passait sur la scène, que ce fût émouvant ou comique, que c'était comme si cette vie jouée avait, de façon mystérieuse, plus de réalité pour eux que leur vie quotidienne. Et cette autre réalité, ils adoraient l'entendre.

Des milliers d'années ont passé. Les grandes villes d'alors sont tombées en ruine, les temples et les palais se sont écroulés. Le vent et la pluie, le froid et la chaleur ont poli des pierres, les ont creusées, et de ces grands théâtres il ne reste que

12

des ruines. Dans les fentes des murs, les cigales chantent leur chanson monotone ; c'est comme si la terre respirait dans son sommeil.

Mais certaines de ces vieilles grandes villes sont restées de grandes villes aujourd'hui encore. La vie y a, bien entendu, changé. Les gens s'y déplacent en voiture, en tramway ; ils ont le téléphone et l'électricité. Mais ici et là, parmi les constructions modernes, quelques colonnes subsistent encore ; un fragment de vieux mur ou encore quelque amphithéâtre datant de ces temps anciens.

C'est dans une de ces villes que s'est déroulée la vie de Momo.

Au sud, un peu en dehors de la grande cité, là où commence la campagne et où cabanes et maisons deviennent de plus en plus pauvres se trouve, caché dans un petit bois de pins, un petit amphithéâtre en ruine. Dans les temps anciens, il avait été, semble-t-il, destiné aux pauvres gens. De nos jours, c'est-à-dire au moment où commence l'histoire de Momo, on l'avait presque entièrement oublié. Seuls quelques professeurs d'archéologie connaissaient son existence mais ne s'en préoccupaient guère, car il n'y avait plus rien à y découvrir. Et cette curiosité n'avait rien de comparable à celles qui se trouvaient dans la grande ville voisine. C'était donc tout à fait par hasard que des touristes s'y égaraient de temps à autre ; ils grimpaient sur les gradins envahis d'herbe, faisaient du bruit, prenaient quelques photos-souvenirs puis repartaient. Le silence regagnait alors le cercle de pierres, et les cigales entamaient la strophe suivante de leur interminable chanson qui ne se distinguait d'ailleurs en rien de la précédente.

En réalité, seuls les gens des environs connaissaient ce curieux édifice tout rond. Ils y faisaient paître leurs chèvres, les enfants jouaient au ballon au centre de la place circulaire, et parfois, le soir, les amoureux s'y donnaient rendez-vous.

Mais, un beau jour, le bruit courut que, depuis peu, quelqu'un y habitait, un enfant, probablement une petite fille — ce qui n'était pas absolument certain car cet être était vêtu quelque peu bizarrement. Elle s'appelait Momo ou quelque chose comme ça.

L'aspect extérieur de Momo était effectivement un peu bizarre et pouvait éventuellement choquer les personnes qui attachent beaucoup d'importance à l'ordre et à la propreté. Elle était petite, assez maigre ; aussi, avec la meilleure volonté du monde, il était difficile de dire si elle n'avait que huit ans ou déjà douze. Elle avait plein de cheveux bouclés, noirs comme du jais, tout en désordre, qu'un peigne ou des ciseaux n'avaient jamais dû effleurer. Elle avait de très grands yeux, très beaux, noirs aussi comme du jais et des pieds de même couleur, car elle se promenait presque toujours nu-pieds. En hiver seulement elle mettait parfois des chaussures dissemblables et, de plus, trois fois trop grandes pour elle. En effet, tout ce que Momo possédait, elle

14

l'avait trouvé ou on lui en avait fait cadeau. Sa robe était faite de toutes sortes de bouts de tissus, de n'importe quelle couleur, cousus ensemble, et elle lui descendait jusqu'aux chevilles. Elle portait par-dessus un vieux veston d'homme, beaucoup trop large pour elle, dont les manches étaient retroussées jusqu'aux poignets. Momo ne voulait pas les couper, prévoyant qu'elle allait grandir encore. Et d'ailleurs, qui aurait pu lui garantir qu'elle retrouverait un veston aussi beau, aussi pratique, avec toutes ces poches !

Dans l'amphithéâtre, au-dessous de la scène envahie d'herbes, il y avait quelques cavernes à moitié écroulées auxquelles on pouvait accéder par un trou percé dans le mur extérieur. C'est là que Momo s'était installée. Un jour, vers midi, quelques personnes, hommes et femmes des proches environs, vinrent la trouver et se mirent à la bombarder de questions. Momo, debout, leur faisant face, les regardait, très inquiète. Elle redoutait qu'ils ne la chassent. Mais très vite elle se rendit compte qu'ils étaient gentils. Eux aussi étaient pauvres, ils connaissaient la vie.

« Alors, lui dit un des hommes, tu te plais ici ?

— Oui, répondit Momo.

— Tu voudrais rester ici ?

— Oui, j'aimerais bien.

— Mais... personne ne t'attend ?

— Non.

— Je veux dire : est-ce que tu ne dois pas rentrer chez toi ?

— Mon chez-moi, c'est ici, se dépêcha de dire Momo.

— D'où viens-tu donc, mon enfant ? »

D'un mouvement vague de la main, Momo indiqua le lointain.

« Qui sont tes parents ? » demanda encore l'homme.

Désemparée, l'enfant regardait les gens autour d'elle. Elle haussa les épaules. Perplexes, ils échangèrent des regards et soupirèrent.

« Il ne faut pas avoir peur, continua l'homme. Nous ne voulons pas te chasser. Nous voulons t'aider. »

Sans rien dire, Momo faisait non de la tête, mais elle ne paraissait pas encore être rassurée.

« Tu dis que tu t'appelles Momo, n'est-ce pas ?

— Oui.

— Un joli nom, mais que je n'ai encore jamais entendu. Qui t'a donné ce nom ?

— Moi, dit Momo.

— Quand est-ce que tu es née ? »

Momo réfléchit un moment et finit par dire :

« Moi, j'ai l'impression que je suis là depuis toujours.

— Mais tu n'as ni tante, ni oncle, ni grand-mère, pas de parents chez qui tu pourrais aller ? »

Pendant un court instant, Momo regarda l'homme sans répondre. Puis elle murmura :

« Mon chez-moi, c'est ici.

— Bon, très bien, acquiesça l'homme, mais tu

16

n'es jamais qu'une enfant. D'ailleurs, quel âge as-tu ?

« — Cent ans », répondit Momo avec quelque hésitation.

Les gens se mirent à rire, pensant qu'elle plaisantait.

« Non, sérieusement, quel âge as-tu ?

— Cent deux ans », dit Momo, encore peu rassurée.

Il fallut un certain temps pour que les gens se rendent compte que cette enfant ne connaissait que quelques chiffres attrapés au vol çà et là, mais que ces chiffres n'avaient aucune signification pour elle puisque personne ne lui avait appris à compter.

« Écoute, dit l'homme, après s'être concerté avec les autres, tu ne voudrais pas que nous disions à la police que tu es ici ? Eux, ils te mettraient dans une institution où l'on te donnerait à manger, où tu aurais un lit et où on t'apprendrait à compter, à lire et bien d'autres choses encore. Qu'est-ce que tu en penses, dis ?

— Non, murmura-t-elle, je ne veux pas. J'y ai déjà été. Il y avait encore d'autres enfants. Il y avait des grilles aux fenêtres, et tous les jours, on nous battait, c'était injuste. Alors, une nuit, j'ai fait le mur et je me suis sauvée. Je ne veux pas y retourner.

— Ça se comprend », dit un vieil homme en opinant du bonnet.

Et tous les autres en firent autant parce qu'ils la comprenaient.

« C'est bon, dit une femme, mais tu es encore petite. Il faut bien que quelqu'un s'occupe de toi...

— Eh bien, moi, répondit Momo, soulagée.

— Mais est-ce que tu en es capable ? » demanda la femme.

Après un court silence, Momo dit timidement :

« Je n'ai pas besoin de grand-chose. »

De nouveau, les gens échangèrent des regards, soupirèrent et hochèrent la tête.

« Tu sais, Momo, reprit l'homme qui lui avait parlé le premier, nous pensons que tu pourrais peut-être t'installer chez l'un d'entre nous. Nous n'avons pas beaucoup de place, ni les uns ni les autres, et la plupart ont déjà des tas d'enfants à nourrir, mais un de plus n'y changerait pas grand-chose. Qu'en penses-tu, dis ?

— Merci, dit Momo en souriant pour la première fois, merci beaucoup. Mais ne pourriez-vous pas me laisser tout simplement habiter ici ? »

Les gens considérèrent longuement cette proposition et finirent par tomber d'accord. Ils se dirent qu'après tout l'enfant pouvait tout aussi bien habiter ici que chez l'un d'entre eux et que tous ensemble ils prendraient soin d'elle, ce qui serait, de toute façon, plus simple que d'en charger un seul d'entre eux.

Ils se mirent tout de suite à l'ouvrage, essayant de ranger et de mettre en état la petite caverne à moitié écroulée où Momo s'était installée. L'un d'eux, un maçon, construisit un petit foyer avec des pierres. On dégotta même un vieux tuyau de poêle. Un menuisier fabriqua une table et deux chaises avec de vieilles caisses. Et pour finir, les femmes amenèrent encore un lit de fer un peu branlant, un matelas juste un peu déchiré et deux couvertures.

Cet antre pierreux, sous la scène du théâtre en ruine, était devenu une petite chambre très habitable, pleine de chaleur. Pour terminer, le maçon, qui avait des dons artistiques, peignit encore quelques belles fleurs sur le mur, dessinant même le cadre et le clou auquel le tableau était accroché.

Puis les enfants de tous ces gens arrivèrent, apportant des restes de nourriture, l'un, un bout de fromage, l'autre, un petit pain, le troisième, quelques fruits, etc. Et comme il y avait beaucoup, beaucoup d'enfants ce soir-là, il y eut une telle foule qu'on organisa une véritable fête en l'honneur de Momo, une fête pleine de gaieté comme seuls les pauvres gens s'entendent à les organiser. Et c'est ainsi que commença l'amitié entre la petite Momo et les gens des environs.

2

Comment,
grâce à son don exceptionnel, Momo parvient à réconcilier deux ennemis

Dès ce moment, tout alla bien pour la petite Momo ; c'est du moins ce qu'elle pensait. Elle avait toujours de quoi manger, parfois un peu plus, parfois un peu moins, comme cela se présentait, et selon les possibilités des gens qui l'entouraient. Elle avait un toit sur la tête, elle avait un lit et, lorsqu'il faisait froid, elle pouvait s'allumer un feu. Et, ce qui était pour elle le plus important, elle avait plein de bons amis.

On serait tenté de se dire que Momo avait tout simplement eu beaucoup de chance d'avoir rencontré un si grand nombre de gens chaleureux — c'est d'ailleurs ce qu'elle pensait au fond d'elle-même. Très rapidement, les gens se rendirent compte que leur rencontre avec Momo avait aussi été une fameuse chance pour eux. Ils avaient besoin d'elle et se demandaient comment ils avaient pu vivre sans elle jusque-là ; et ils avaient peur qu'elle ne disparaisse un beau jour comme elle était venue.

Tout cela faisait que Momo recevait énormément de visites. Presque toujours, on pouvait voir quelqu'un assis auprès d'elle en train de lui parler. Celui qui avait besoin d'elle mais était dans l'impossibilité de se déplacer envoyait quelqu'un pour la chercher. Et à celui qui ne s'était pas encore rendu compte qu'il avait en réalité besoin d'elle, les autres disaient : « Va donc voir Momo ! »

Petit à petit, cette phrase devint une locution courante pour les gens des proches environs. Comme on dit : « Bonne chance ! » ou : « Bon appétit ! » ou encore : « Dieu seul le sait ! » on disait à toute occasion : « Va donc voir Momo ! »

Mais pourquoi ? Momo était-elle d'une intelligence si extraordinaire que cela la rendait capable de donner un bon conseil à tout un chacun ? Trouvait-elle toujours les mots justes pour consoler celui qui en avait besoin ? Pouvait-elle prononcer des jugements justes et sages ?

Non, tout cela, Momo ne le pouvait pas plus que n'importe quel autre enfant. Possédait-elle peut-être un don qui rendait les gens de bonne humeur ? Par exemple, chantait-elle particulièrement bien ? Jouait-elle d'un quelconque instrument ? Ou encore, parce qu'elle habitait dans une sorte de cirque, était-elle capable de danser ou de faire des acrobaties ?

Non, ce n'était pas cela non plus.

Peut-être la magie ne lui était-elle pas étrangère ?

Elle connaissait peut-être quelque formule mystérieuse permettant de chasser tous les soucis, toutes
les peines ? Pouvait-elle lire dans les lignes de la
main ou prédire l'avenir de quelque autre façon ?

Non, rien de tout cela.

Ce que Momo savait faire comme personne,
c'était : écouter. Certains lecteurs penseront peut-
être que cela n'a rien d'exceptionnel, que c'est à la
portée de tout le monde.

Mais c'est là une erreur. Seuls, très peu de gens
savent vraiment écouter, et Momo, elle, écoutait
d'une manière absolument unique.

Elle savait écouter avec une intensité telle qu'à
des personnes plutôt bêtes venaient soudainement
des pensées très intelligentes. D'aucuns pourraient
croire qu'elle suscitait ces pensées en disant ou en
demandant quelque chose, mais pas du tout. Elle
était simplement assise là, écoutant avec toute son
attention, avec toute sa compassion, en regardant
l'autre de ses grands yeux noirs. C'est alors que du
plus profond de son interlocuteur surgissaient des
pensées dont celui-ci n'avait jamais soupçonné
l'existence. Momo écoutait d'une manière telle que
des gens complètement paumés et indécis savaient
tout à coup très bien comment s'en sortir eux-
mêmes : des timides acquéraient assurance et témé-
rité, des malheureux qui ne voyaient pas le bout de
leurs peines retrouvaient espoir et joie de vivre. Et
lorsque quelqu'un confiait tristement à la petite
Momo que sa vie était complètement ratée, qu'il
n'était qu'un parmi des millions d'autres, qu'il

n'avait pas la moindre importance, qu'il était complètement inutile, il comprenait, tout en parlant et d'une façon mystérieuse, que tout cela était absolument faux, que tel qu'il était, il était unique parmi les hommes sur cette terre et c'est pourquoi il avait, lui aussi, son importance.

Voilà comment Momo savait écouter.

Un jour, deux hommes se présentèrent à elle dans l'amphithéâtre. Ils étaient fâchés à mort et, bien que voisins, ils ne voulaient plus se parler. Comme il est inadmissible d'être fâchés entre voisins, les gens leur avaient conseillé d'aller voir Momo. Tout d'abord, les deux hommes avaient refusé, puis ils avaient cédé, mais à contrecœur.

Et les voici installés dans l'amphithéâtre, sur les gradins de pierre, éloignés l'un de l'autre, boudant et gardant le silence, et fixant le sol d'un air lugubre.

L'un était le maçon qui avait fait don pour le « salon » de Momo du poêle et du tableau représentant des fleurs. Il s'appelait Nicola. C'était un grand gaillard, avec une moustache de gendarme toute noire. L'autre s'appelait Nino. Il était très maigre et avait toujours l'air un peu fatigué. Il était gérant d'un petit bistrot, à l'autre bout de la ville, où traînaient le plus souvent quelques vieillards qui se contentaient d'un seul verre de vin pendant toute une soirée au cours de laquelle ils échangeaient leurs souvenirs. Nino et sa femme, personne corpulente, étaient aussi des amis de Momo ; souvent ils lui apportaient quelque chose de bon à manger.

23

Momo comprit tout de suite que les deux compères étaient fâchés à mort ; aussi, auquel des deux fallait-il dire bonjour en premier ? Pour n'offenser personne, elle ne dit rien et s'installa simplement à distance égale de chacun d'eux, sur le rebord de la rampe de pierre, regardant tantôt l'un, tantôt l'autre. Elle attendait patiemment le déroulement des événements. Certaines choses demandent du temps, et le temps, c'était bien la seule richesse de Momo. Après un long moment, Nicola se leva brusquement et dit :

« Je m'en vais. J'ai fait preuve de bonne volonté en venant ici, mais tu vois bien, Momo, il est buté. Pourquoi attendre plus longtemps ? »

Et il s'apprêtait effectivement à partir.

« Oui, oui, va au diable ! lui cria Nino. Tu n'avais même pas besoin de venir. Je ne me réconcilierai jamais avec un scélérat de ton espèce ! »

Nicola se retourna, le visage cramoisi de colère :

« Et qui donc est un scélérat ici ? demanda-t-il d'un ton menaçant tout en rebroussant chemin. Répète-le !

— Autant de fois que tu voudras ! s'écria Nino. Tu t'imagines peut-être que personne n'ose te dire tes quatre vérités en pleine figure, parce que tu es costaud et brutal ? Mais moi, je te les dirai, à toi et à tous ceux qui veulent les entendre ! Oui, oui, allons-y, approche et tue-moi, comme tu as déjà voulu le faire l'autre fois.

— Si seulement je l'avais fait ! hurla Nicola en serrant les poings. Voilà, Momo, c'est la preuve

24

qu'il ment et qu'il me calomnie. Je l'ai tout juste attrapé par le col et jeté dans une flaque d'eau de vaisselle derrière son sale bistrot. Même un rat ne pourrait s'y noyer ! »

Et, s'adressant de nouveau à Nino, il cria :

« Hélas ! tu n'es pas mort, comme chacun peut le constater ! »

Pendant un moment, ils se bombardèrent des pires injures, et Momo n'arrivait absolument pas à comprendre de quoi il était question, pourquoi les deux hommes s'en voulaient à ce point. Mais petit à petit, il s'avéra que si Nicola avait agi de cette manière, c'était parce que Nino l'avait giflé en présence de quelques habitués du bistrot. Ce qui, par contre, avait été précédé par la tentative de Nicola de casser toute la vaisselle chez Nino.

« Mais ce n'est absolument pas vrai ! se défendit Nicola. J'ai tout juste lancé une seule cruche contre le mur, et elle était déjà fêlée.

— Mais c'était *ma* cruche ! Tu comprends ? rétorqua Nino. Et, de toute façon, tu n'avais aucun droit de le faire ! »

Nicola était pourtant persuadé d'avoir été dans son bon droit, car Nino l'avait blessé dans son honneur de maçon.

« Tu sais ce qu'il a dit sur moi ? dit-il à Momo. Il m'a dit que je n'étais pas fichu de construire un mur d'aplomb car j'étais ivre jour et nuit. Et mon arrière-grand-père aurait été pareil, il aurait participé à la construction de la tour penchée de Pise !

— Fine plaisanterie ! grommela Nicola.

— Moi, ça ne me fait absolument pas rire ! »

Il se trouva cependant que Nino n'avait fait que rendre à Nicola la monnaie de sa pièce à propos d'une autre « plaisanterie ». Car, un beau matin, on avait pu lire sur la porte de Nicola, écrit en lettres d'un rouge criard : « Celui qui ne sait rien faire devient bistrotier ! » Ce qu'à son tour Nino ne trouva pas drôle du tout.

Maintenant, ils se disputaient très sérieusement pour savoir laquelle de ces deux plaisanteries était la meilleure, et, de ce fait, leur colère remonta. Mais subitement ils s'arrêtèrent. Momo les regardait de ses grands yeux, et ni l'un ni l'autre n'arrivait à bien comprendre ce qu'exprimait son regard. Se moquait-elle d'eux intérieurement ? Était-elle attristée ? L'expression de son visage était insondable, et soudain les deux hommes eurent l'impression de se voir dans un miroir et commencèrent à avoir honte.

« Bon, dit Nicola, je n'aurais peut-être pas dû écrire cela sur ta porte, Nino. Et je ne l'aurais d'ailleurs jamais fait si tu n'avais pas refusé de me servir ne serait-ce qu'un seul verre de vin. C'était contraire à la loi, comprends-tu ? Car je t'ai toujours payé et tu n'avais aucune raison de me faire ça, à moi.

— Et comment donc ! riposta Nino. Tu ne te souviens donc plus de l'histoire du saint Antoine ? Ah ! tu vois, ça te fait pâlir. Tu m'as bel et bien escroqué, et je n'avais aucune raison de me laisser faire !

26

— Moi, je t'ai escroqué ? s'écria Nicola en se tapant sauvagement le front de la main. C'était tout le contraire ! C'est toi qui voulais me rouler, et tu n'y as pas réussi ! »

Voilà de quoi il s'agissait : dans le petit bistrot de Nino, il y avait, accroché au mur, un tableau représentant saint Antoine. C'était une photographie en couleurs que Nino avait découpée dans un journal illustré et qu'il avait encadrée. Un jour, Nicola voulut marchander ce tableau, qu'apparemment il trouvait très beau. Par un habile marchandage, Nino avait amené Nicola à lui offrir en échange sa petite radio. Nino rigolait sous cape, car cette affaire n'était en réalité pas à l'avantage de Nicola. L'affaire fut conclue. Mais par la suite, on apprit qu'entre le tableau et le carton sur lequel il était fixé, un billet de banque était dissimulé, chose que Nino ignorait. Du coup, ce fut lui le dupé, ce qui ne manqua pas de provoquer sa colère. Il réclama immédiatement cet argent à Nicola puisque, pour lui, il ne faisait pas partie du troc. Nicola refusa, à la suite de quoi Nino ne voulut plus lui servir à boire. Tel fut le début de leur querelle.

Ayant exposé à Momo leur affaire depuis ses débuts, tous deux se turent un moment. Puis Nino parla le premier :

« Dis-moi, Nicola, en toute honnêteté, étais-tu au courant de l'existence de cet argent avant notre troc ?

— Bien sûr, sinon je n'aurais jamais eu l'idée de te proposer cette affaire.

« — Alors, tu dois avouer que tu m'as volé.

— Pourquoi ? Est-ce que tu ne savais vraiment pas que cet argent se trouvait là ?

— Parole d'honneur ! Non.

— Bien. Alors, dans ce cas, c'est donc toi qui voulais me voler. Autrement, tu n'aurais pas accepté ma radio en échange de ce bout de journal sans valeur, non ?

— Et comment as-tu appris que cet argent se trouvait là ?

— L'avant-veille, j'avais vu un des habitués glisser cet argent derrière le tableau en guise d'offrande à saint Antoine. »

Nino se mordilla les lèvres :

« Beaucoup d'argent ?

— Ni plus ni moins que la valeur de ma radio, répondit Nicola.

— Dans ce cas, toute notre querelle ne tourne en somme qu'autour du saint Antoine que j'ai découpé dans un journal. »

Nicola grogna tout en se grattant la tête :

« Au fond, oui. Et je te le rendrai volontiers, Nino.

— Mais pas du tout, répondit Nino, très digne, troqué, c'est troqué ! Entre gens honnêtes, une poignée de main a sa valeur, non ? »

Tous deux alors éclatèrent de rire en même temps. Ils descendirent les gradins, se rencontrèrent au centre de la place ronde dans l'herbe, s'embrassèrent, se donnèrent mutuellement des claques sur le dos, de nouveau amis. Ensuite, ils prirent Momo dans leurs bras pour la remercier chaleureusement.

Lorsqu'ils partirent, un peu plus tard, Momo les suivit du regard en agitant la main, contente de voir ses deux amis réconciliés.

Une autre fois, un petit gamin lui apporta un canari qui ne voulait plus chanter. C'était une tâche plus difficile encore. Momo dut rester à l'écoute pendant une semaine entière avant qu'il ne recommence à chanter et à faire des roulades.

Momo les écoutait tous : les chiens et les chats, les cigales et les crapauds, elle écoutait même la pluie et le vent dans les arbres. Tous lui parlaient à leur manière. Certains soirs, après le départ de tous ses amis, elle restait assise, longtemps encore, seule au milieu de son vieil amphithéâtre au-dessus duquel, telle une coupole, s'étendait le ciel étoilé : elle écoutait le grand silence. Elle avait alors l'impression d'être assise au milieu d'une immense oreille cherchant à capter les bruits dans le monde des étoiles. C'était comme si elle entendait une musique très douce et très puissante à la fois qui lui allait mystérieusement droit au cœur.

Ces nuits-là, elle faisait toujours des rêves particulièrement beaux.

Celui qui continue à penser que savoir écouter n'est pas un don exceptionnel, qu'il essaye, ne serait-ce qu'une fois, et il verra bien !

3

Une tempête et un orage
qui ne se ressemblent pas

Inutile de vous dire que Momo écoutait aussi attentivement les enfants que les grandes personnes. Pour elle, il n'y avait pas de différence. Mais les enfants avaient une autre bonne raison de venir voir Momo. En sa présence, ils jouaient beaucoup mieux ensemble. Il n'y avait plus de temps mort. Et ce n'était pas parce que Momo leur proposait des choses extraordinaires, mais simplement parce qu'elle était là et jouait avec eux. Et c'est ainsi — on ne sait pas très bien pourquoi — que les enfants débordaient d'idées merveilleuses. Chaque jour, ils inventaient de nouveaux jeux, plus beaux les uns que les autres.

Un jour, par un temps lourd et oppressant, une dizaine d'enfants étaient assis sur les gradins de l'amphithéâtre, attendant Momo qui était allée se promener toute seule dans les environs. Le ciel était couvert de gros nuages noirs ; l'orage n'était pas loin.

« Je préfère rentrer à la maison, dit une fillette qui était là avec son petit frère. J'ai peur des éclairs et du tonnerre.

— Et à la maison ? lui demanda un garçon qui portait des lunettes, en as-tu moins peur ?

— Non, répondit la fillette.

— Alors tu peux tout aussi bien rester ici », répliqua le garçon.

Elle haussa les épaules en faisant oui de la tête. Un moment après, elle ajouta :

« Mais peut-être que Momo ne viendra pas.

— Et alors, objecta un garçon qui avait l'air un peu paumé. On peut bien jouer à quelque chose, même si Momo n'est pas là.

— Bon, mais à quoi ?

— Je ne sais pas non plus. A n'importe quoi.

— N'importe quoi, c'est rien. Qui a une proposition à faire ?

— Je sais, dit un gros garçon à la voix de fille. Nous pourrions faire comme si l'amphithéâtre était un grand bateau, nous traverserions des mers inconnues et nous aurions toutes sortes d'aventures. Moi, je serais le capitaine, toi, le timonier, toi, un explorateur, un professeur, parce que nous ferons un voyage d'exploration, d'accord ? Et tous les autres seront les matelots.

— Et nous, les filles, qu'est-ce que nous sommes ?

— Des filles-matelots. Notre bateau est celui de l'avenir. »

C'était un projet sensationnel ! Ils essayèrent de jouer, mais ils n'arrivaient pas à s'entendre ; le jeu ne démarrait pas bien. Au bout d'un moment, ils étaient tous de nouveau assis sur les gradins et attendaient. Et c'est alors que Momo arriva.

L'écume de la lame de proue vrombissait. *Argo*, le navire d'exploration, roulait doucement dans le va-et-vient des vagues, avançant tranquillement mais de toute sa puissance vers le sud de la mer de Corail. Depuis des temps immémoriaux, aucun navire n'avait osé s'aventurer dans ces eaux dangereuses où il fallait affronter des profondeurs insondables, d'énormes récifs de corail et des monstres marins inconnus. Il y sévissait surtout une tempête tourbillonnante, appelée le « typhon éternel », parce qu'elle ne cessait jamais et hantait la mer sans relâche, en quête de quelque victime, tel un être vivant et cruel. Imprévisible quant au choix de sa direction, ce typhon ne lâchait jamais sa proie avant de l'avoir réduite en mille morceaux ténus comme des allumettes.

Il est vrai qu'*Argo* était particulièrement bien armé pour rencontrer ce « typhon itinérant ». En effet, le navire était entièrement construit en acier bleu d'Alamont, souple et incassable comme la lame d'un poignard. Grâce à un procédé spécial de fabrication, il était fait d'un seul morceau, sans aucune trace de soudure.

Cela dit, on aurait eu peine à imaginer un autre capitaine, un autre équipage pour affronter ces dangers incroyables. Le capitaine Gordon possédait véritablement tout le courage nécessaire. Du haut du pont, il contemplait avec fierté son équipage de filles et de garçons, chacun ayant sa spécialité.

A côté du capitaine se tenait Don Melú, le timonier, véritable loup de mer de la vieille école qui avait déjà survécu à cent vingt-sept cyclones.

Plus loin, sur le pont, on pouvait voir le professeur Eisenstein, l'organisateur scientifique de l'expédition. Il était entouré de ses assistantes Maurin et Sara, toutes deux douées d'une mémoire telle qu'elles tenaient lieu de bibliothèques entières. Penchés sur leurs instruments de précision, tous trois discutaient à voix basse dans leur jargon scientifique compliqué.

Un peu à l'écart était assise Momosan, la belle indigène. De temps à autre, l'explorateur lui posait des questions sur les particularités de la mer et elle lui répondait dans son dialecte hula si mélodieux que seul le professeur comprenait.

Le but de l'expédition, c'était de déterminer la cause du « typhon itinérant » et, si possible, de le supprimer pour que d'autres bateaux puissent naviguer sur cette mer. Mais, pour l'instant, tout était calme, la tempête ne s'était pas encore levée.

Tout à coup, du haut de la hune où il se trouvait, un homme poussa un cri qui arracha le capitaine à ses pensées. Sa main lui servant de porte-voix, il cria :

« Capitaine, ou bien je suis fou, ou bien je vois réellement une île de verre, juste devant nous ! »

Le capitaine et Don Melú se saisirent aussitôt de

leurs longues-vues. Le professeur Eisenstein et ses assistantes s'approchèrent, vivement intéressés. Seule, la belle indigène resta impassible, assise à sa place. Les coutumes énigmatiques de son pays lui interdisaient toute manifestation de curiosité. Le bateau atteignit bientôt l'île de verre. Le professeur descendit par l'échelle de corde extérieure et posa son pied sur le sol transparent. Celui-ci était si glissant que le professeur eut du mal à se tenir sur ses jambes.

Cette île était parfaitement ronde, d'un diamètre d'une vingtaine de mètres. Elle s'élevait vers le centre comme une coupole. Lorsque le professeur eut atteint l'endroit le plus élevé, il discerna très nettement une lueur clignotante à l'intérieur de l'île.

Il fit part de son observation à tous ses compagnons qui étaient accoudés au bastingage, très attentifs à ce qui se passait.

Pour l'assistante Maurin, il ne pouvait s'agir que d'un *Oguelmoumpf bistrozinalis*.

« C'est possible, répliqua l'assistante Sara, mais cela pourrait tout aussi bien être un *Chloucoula tapetozifera*. »

Le professeur Eisenstein se redressa, rajusta ses lunettes et s'écria :

« Je pense que nous avons affaire ici à une variété du *Schtroumfus couinant vulgaris*. Mais nous ne pourrons l'affirmer qu'une fois que nous aurons exploré cette chose par-dessous. »

Sur ce, trois matelots-filles, qui étaient par ailleurs championnes internationales de plongée sous-marine et avaient, à tout hasard, déjà enfilé leurs combinaisons de scaphandrier, sautèrent dans l'eau et disparurent dans les fonds bleus.

Pendant un long moment, seules des bulles apparurent à la surface de la mer, puis, soudain, l'une des trois plongeuses, nommée Sandra, sortit la tête hors de l'eau et cria, haletante :

« C'est une méduse géante ! Les deux autres filles sont restées accrochées par ses tentacules, elles n'arrivent pas à se dégager ! Il faut que nous les aidions avant qu'il ne soit trop tard ! »

Et elle redisparut sous l'eau.

Aussitôt, cent hommes-grenouilles, sous la direction de leur vaillant capitaine Franco, surnommé « le Dauphin », se précipitèrent dans la mer. Une lutte monstrueuse s'engagea sous l'eau dont la surface se couvrit d'écume. Mais même ces hommes ne parvinrent pas à dégager les deux filles de cette terrifiante étreinte. La force de cet animal gigantesque et visqueux était trop puissante. Après en avoir délibéré brièvement, le capitaine Gordon et son timonier Don Melú prirent la décision qui s'imposait.

« Faites manœuvre arrière, ordonna Don Melú. Tout le monde à bord ! Nous allons couper le monstre en deux, c'est la seule chance que nous ayons de délivrer les deux filles ! »

« Le Dauphin » et ses hommes-grenouilles remontèrent à bord. L'Argo fit d'abord une petite marche arrière puis fonça de toutes ses forces sur la méduse géante. La proue du navire d'acier était tranchante comme une lame de rasoir. Sans faire le moindre bruit et pratiquement sans secousse, il partagea en deux la méduse géante, manœuvre qui n'était pas sans danger pour les filles retenues par les tentacules. Mais Don Melú avait évalué leur position à un cheveu près, et le navire traversa l'animal juste entre elles deux. Les tentacules s'affaissèrent instantanément, privées de toute force, et les prisonnières parvinrent à se dégager.

Elles furent accueillies joyeusement à leur retour sur le bateau. Le professeur Eisenstein s'avança vers elles et leur dit :

« C'est ma faute. Je n'aurais pas dû vous envoyer là-dessous. Pardonnez-moi de vous avoir exposées à ce danger !

— Ce n'est rien, professeur, lui répondit l'une des deux filles. C'est justement pour accomplir des exploits de ce genre que nous sommes venues avec vous. »

Et l'autre ajouta :

« Le danger est inséparable de notre profession ! »

Mais il fallut interrompre cet aimable échange de paroles. Absorbés par les travaux de sauvetage, le capitaine et son équipage avaient complètement oublié d'observer la mer. Ce ne fut donc qu'à la dernière seconde qu'ils s'aperçurent que le « typhon itinérant » apparaissait à l'horizon et se dirigeait sur l'*Argo* à une vitesse folle. Une énorme vague assaillit le navire d'acier, le redressa brusquement, le jeta sur le côté et le précipita dans le creux d'une vague qui avait au moins cinquante mètres de profondeur. Le premier assaut aurait sans doute suffi pour expédier par-dessus bord des marins moins expérimentés et moins courageux que ceux de l'*Argo* ; ils se seraient peut-être même évanouis. Mais le capitaine Gordon était à sa place, sur la passerelle de commandement, comme si rien ne s'était passé, et son équipage, tout aussi stoïque, avait résisté. Seule Momosan, la belle indigène, avait grimpé dans un bateau de sauvetage, car elle n'était pas habituée à semblables exploits en haute mer.

Il avait suffi de quelques secondes pour que le ciel devienne noir comme de l'encre. Avec des hurlements et des gémissements, le typhon s'abattit sur le navire ; il le lançait en l'air, tel un jouet, puis le laissait retomber dans les profondes crevasses que formaient les vagues. C'était comme si sa fureur augmentait de minute en minute, du fait qu'il ne pouvait rien contre l'*Argo*, le navire d'acier. Le capitaine donnait ses ordres d'une voix calme. Chacun était à son poste. Même le professeur Eisenstein et ses assistantes n'avaient pas quitté leurs instruments. Ils calculaient l'endroit où se trouvait le noyau central du typhon, car c'était là le but de leur expédition. Le capitaine Gordon admirait secrètement le sang-froid de ces scientifiques, lesquels, après tout, n'étaient nullement familiarisés avec les dangers de la mer, comme c'était le cas pour lui et ses hommes.

Une première fois, la foudre avait frappé le navire d'acier et l'avait, bien entendu, électrisé d'un bout à l'autre. Tout ce que l'on touchait jetait des étincelles. Mais comme tous, à bord de l'*Argo*, avaient subi un long et dur entraînement, personne ne se plaignait.

Ce ne fut qu'à partir du moment où les éléments les plus minces du navire, les câbles d'acier et les barres de fer, devinrent incandescents, comme les fils à l'intérieur d'une ampoule électrique, que le travail fut beaucoup plus dur pour l'équipage, malgré les gants d'amiante qui protégeaient leurs mains. Fort heureusement, cette incandescence fut rapidement éteinte par une pluie torrentielle, une pluie comme personne n'en avait jamais vue — à l'exception de Don Melú — une pluie si forte qu'elle supprimait l'air en tombant et obligea l'équipage à mettre des masques à oxygène.

Éclairs et coups de tonnerre se succédaient sans interruption, les vagues étaient hautes comme des maisons, et partout de la mousse blanche !

Ses machines lancées à toute vapeur, l'*Argo* luttait contre la violence séculaire du typhon pour avancer nœud par nœud. Les machinistes et les mécaniciens de la chaufferie déployaient un courage surhumain. Ils s'étaient attachés avec des câbles pour ne pas être précipités dans le gouffre béant des chaudières.

Puis, enfin, le noyau central du typhon fut atteint. Quel étrange spectacle s'offrit alors aux occupants du navire !

Un être géant dansait sur la surface de la mer que la force de la tempête avait rendue lisse comme un miroir. Il se tenait sur une seule jambe et, plus gros en haut qu'en bas, il ressemblait à une toupie soufflante. Il tournait sur lui-même avec une rapidité telle qu'on ne pouvait nettement discerner ses traits.

« Mais c'est un *Schoum-schoum bubble elasticum* ! s'écria le professeur émerveillé tout en retenant ses lunettes que la pluie torrentielle avait déséquilibrées.

— Ne pourriez-vous pas nous donner des explications plus précises, grommela Don Melú. Nous ne sommes que de simples marins et...

— Ce n'est pas le moment de déranger le professeur dans ses recherches, dit Sara, interrompant Don Melú. C'est une occasion unique ! Cet être toupie, vraisemblablement, remonte à l'origine des temps. Il a certainement plus d'un milliard d'années. Nous n'en connaissons plus actuellement qu'une variété microscopique que l'on trouve parfois dans la sauce tomate, plus rarement dans l'encre verte. Un exemplaire de cette taille est probablement le seul de son genre qui existe encore.

— Mais nous sommes ici pour retrouver la cause du « typhon éternel » et la supprimer, fit observer le capitaine qui avait quelque peine à se faire entendre en raison des hurlements de la tempête. Le professeur doit nous dire comment on peut arrêter ce truc !

— Ça, dit le professeur, je n'en sais rien, moi non plus. La science n'a pas encore eu l'occasion de se pencher sur ce sujet.

— Bon, dit le capitaine, on va toujours commencer par lui tirer dessus, on verra bien ce qui va se passer.

— Quel dommage, gémissait le professeur, tirer sur le seul et unique exemplaire de *Schoum-schoum bubble elasticum* ! »

Mais le canon-à-contrafiction visait déjà la toupie géante et le capitaine ordonna : « Feu ! »

Un jet de flamme bleu, d'un kilomètre de long, sortit des canons jumelés, bien entendu sans faire le moindre bruit, car nul n'ignore qu'un canon-à-contrafiction tire avec des protéines.

Le projectile lumineux se dirigea vers le Schoum-schoum, mais, saisi par le tourbillon géant qui le fit dévier, il tourna d'abord de plus en plus vite autour de l'étrange créature pour être finalement emporté dans les airs où il disparut dans le noir des nuages.

« C'est inutile ! s'écria le capitaine Gordon. Il nous faut absolument nous approcher de ce truc !

— Impossible ! hurla Don Melú. Les machines marchent déjà à toute vapeur, ce qui nous permet uniquement de ne pas être repoussés par la tempête ! »

Le capitaine voulut savoir si le professeur avait une proposition à faire. Mais le professeur Eisenstein ne put que hausser les épaules, et ses assistantes n'étaient pas plus avancées que lui. Il semblait vraiment qu'il faudrait renoncer à cette expédition.

Au même instant, quelqu'un tira le professeur par la manche. C'était la belle indigène.

40

Accompagnant ses paroles de gestes charmants, elle dit :

« *Malumba oisitu sono! Erweini samba insaltu lolobindra. Kramuna heu beni beni sadogau.*

— *Babalu?* demanda le professeur avec étonnement. *Didi maha feinosi intu gedoinen malumba?* »

La belle indigène faisait oui de la tête énergiquement :

« *Dodo um aufu schulamar wawada.*

— *Oi-oi*, répondit le professeur en se caressant le menton d'un air songeur.

— Mais qu'est-ce qu'elle veut ? demanda le quartier-maître.

— Elle dit, expliqua le professeur, que dans son pays on connaît une très très vieille chanson pour endormir le « typhon itinérant », à condition de trouver quelqu'un qui ait le courage de la lui chanter.

— Laissez-moi rire ! grogna Don Melú. Une berceuse pour un ouragan ?

— Qu'en pensez-vous ? demanda l'assistante Sara au professeur. Est-ce que cela ne serait pas possible ?

— Il ne faut jamais avoir de préjugés, dit le professeur. Les traditions des indigènes ont souvent une bonne raison d'être. Peut-être existe-t-il certaines vibrations sonores qui exercent une influence sur le *Schoum-schoum bubble elasticum*. Pour l'instant, nous savons encore trop peu de chose sur ses conditions de vie.

— De toute façon, cela ne pourra pas faire de

mal, décida le capitaine. On n'a qu'à essayer. Dites-lui de chanter. »

Le professeur se tourna vers la belle indigène et lui dit :

« *Malumba didi oisafal huna-huna, wawadu ?* »

Momosan fit un signe de tête affirmatif et commença aussitôt à chanter un chant extrêmement bizarre, dont la mélodie comportait quelques notes seulement qui se répétaient inlassablement :

> « *Eni meni allubeni*
> *wanna tai susura teni !* »

En même temps qu'elle chantait, elle frappait des mains et sautillait en mesure. D'autres assistants se joignirent à elle, et bientôt tout l'équipage se mit à chanter, à frapper des mains et à sautiller en mesure, y compris le vieux loup de mer Don Melú et le professeur qui chantaient et frappaient des mains comme des enfants en train de jouer.

Et voici que l'incroyable devint réalité ! La toupie géante tournoyait de plus en plus lentement, elle finit par s'arrêter et fut engloutie par la mer qui fit entendre un dernier grondement terrifiant. Brusquement, tout redevint calme, la pluie s'arrêta, le ciel était d'un bleu transparent. Il n'y avait plus de vagues, l'*Argo* voguait paisiblement sur une mer d'huile comme si rien ne s'était jamais passé.

« Camarades, ça y est ! » dit le capitaine Gordon en gratifiant chacun d'un regard reconnaissant.

Tout le monde savait qu'il était plutôt avare de

ses paroles et pourtant il ajouta, ce qui par conséquent avait encore plus de prix :

« Je suis fier de vous !

— Je crois qu'il a vraiment plu, dit la fille qui
avait amené son petit frère avec elle. En tout cas,
je suis trempée jusqu'à la moelle des os. »

L'orage avait effectivement éclaté pendant le
temps de leur jeu. Et la fille avec son petit frère
s'étonna d'avoir complètement oublié d'avoir peur
tant qu'elle était sur le navire d'acier.

Ils discutèrent un moment encore de leur aventure et se racontèrent comment chacun l'avait
vécue. Puis ils se séparèrent pour rentrer se sécher.

Un seul parmi eux n'était pas entièrement satisfait de la manière dont le jeu s'était déroulé ; c'était
le garçon avec les lunettes. En prenant congé de
Momo, il lui dit :

« C'est quand même dommage que nous ayons
fait couler le *Schoum-schoum bubble elasticum*, le
dernier exemplaire du genre ! J'aurais bien voulu
l'examiner un peu plus à fond. »

Mais pourtant, sur un point, tous étaient d'accord : nulle part on ne jouait aussi bien que chez
Momo.

4

Un petit vieux silencieux et un garçon à la langue bien pendue

Même quand on a plein de vrais amis, il y en a toujours quelques-uns que l'on préfère aux autres. C'était précisément ce qui se passait pour Momo. Elle avait deux amis préférés qui venaient la voir tous les jours et partageaient tout ce qu'ils avaient avec elle.

L'un était jeune, l'autre était vieux. Momo aurait été incapable de dire lequel elle préférait.

Le vieux, c'était Beppo Balayeur-des-rues. En réalité, il avait certainement un autre nom de famille, mais comme il était balayeur des rues de profession, tout le monde — y compris lui-même — l'appelait ainsi.

Beppo habitait près de l'amphithéâtre, dans une cabane qu'il s'était construite lui-même avec des tuiles, des morceaux de tôle ondulée et de carton bitumé. Il était anormalement petit et comme, de plus, il marchait toujours un peu courbé, il paraissait à peine plus grand que Momo. Il tenait sa grosse tête ornée d'une tignasse blanche penchée de côté et il portait de petites lunettes.

Certains disaient qu'il n'avait pas toute sa tête parce qu'il ne répondait jamais, pour commencer, aux questions qu'on lui posait, que par un sourire aimable. Puis il réfléchissait, et quand il estimait que la question ne méritait pas de réponse, il restait silencieux. Mais quand elle lui paraissait en mériter une, il y réfléchissait longuement, parfois pendant deux heures, parfois même pendant une journée entière. En attendant, l'autre avait déjà oublié la question qu'il avait posée, et c'est pourquoi les paroles de Beppo lui paraissaient bizarres.

Seule Momo était capable d'attendre aussi long-temps et de comprendre ce qu'il disait. Elle savait que s'il prenait tant de temps pour réfléchir, c'était pour ne jamais répondre quelque chose qui n'aurait pas été conforme à la vérité. Pour Beppo, tous les malheurs de l'humanité étaient dus aux mensonges, non seulement à ceux qui étaient faits intentionnel-lement, mais également aux autres, ceux que l'on fait comme ça, par simple négligence ou parce qu'on est pressé.

Tous les matins, longtemps avant le lever du jour, Beppo partait pour la ville sur son vieux vélo. Là, dans la cour d'un grand bâtiment, il attendait avec ses collègues qu'on leur distribue un balai et une charrette et qu'on leur indique la rue à balayer.

Beppo aimait ces heures qui précèdent l'aube, quand la ville dort encore. Il aimait aussi son travail qu'il faisait avec soin, étant parfaitement conscient de son utilité.

Il balayait lentement, mais régulièrement : à chaque pas, une respiration, à chaque respiration, un coup de balai. Un pas — une respiration — un coup de balai. Un pas — une respiration — un coup de balai. Par moments, il s'arrêtait d'un air pensif. Puis ça recommençait : un pas — une respiration — un coup de balai.

En s'acheminant ainsi, la rue sale par-devant, la rue propre par-derrière, il était souvent envahi de grandes pensées. Des pensées sans paroles, aussi difficiles à exprimer que, par exemple, une certaine odeur dont on se souvient vaguement ou une couleur dont on a rêvé.

Après son travail, il allait se reposer auprès de Momo et lui expliquait ses grandes pensées, car avec Momo, et sa façon particulière d'écouter, il finissait toujours par trouver les mots justes.

Il disait, par exemple :

« Vois-tu, Momo, c'est comme ça : parfois, on a une très longue rue devant soi et on pense qu'elle est trop longue, qu'on n'y arrivera jamais. Voilà ce qu'on pense. Et alors on commence à se dépêcher, de plus en plus. Mais chaque fois que l'on regarde pour voir où l'on en est, on constate que l'on en est toujours au même point. Alors on se dépêche encore un peu plus, on devient angoissé, et, à la fin, on manque de souffle et on doit s'arrêter. Quant à la rue, elle est toujours là, devant soi. Voilà comment il ne faut pas faire. »

46

Il réfléchit un moment, puis reprit :

« Il ne faut jamais penser à toute la rue en même temps, tu comprends ? Tu dois seulement penser au pas suivant, à la respiration suivante, au coup de balai suivant et ainsi de suite, en recommençant toujours. »

Il s'arrêta de nouveau avant d'ajouter :

« Ce n'est qu'à ce moment-là que cela fait plaisir ; c'est important. Alors on travaille bien et c'est ce qu'il faut. Tout à coup, on s'aperçoit que, pas à pas, on a balayé toute la rue sans s'en rendre compte et sans être essoufflé. »

Et, comme pour lui-même, il conclut :

« Ça, c'est important. »

Une autre fois, il vint s'asseoir à côté de Momo en gardant le silence. Elle comprenait qu'il réfléchissait et qu'il avait certainement quelque chose de tout à fait particulier à lui dire. Soudain, il leva les yeux sur les siens et commença :

« Tu sais, je nous ai reconnus. Ça arrive parfois, à midi, lorsque tout dort sous la grande chaleur. Alors, le monde devient transparent, comme un fleuve, tu comprends ? On peut voir jusqu'au fond. »

Après un petit silence, il continua en chuchotant presque :

« D'autres temps sont enfouis là, sur le fond. »

Il se mit de nouveau à réfléchir, longuement, pour trouver les mots justes. Mais comme il ne semblait pas y parvenir, il déclara brusquement :

« Aujourd'hui, j'ai été balayer près des remparts.

Là, dans le mur, il y a cinq pierres d'une autre couleur. Comme ça, tu vois ? »

Et il dessina un grand T dans le sable. Il le contempla, puis confia à Momo :

« Je les ai reconnues, ces pierres. Les temps étaient tellement différents, jadis, quand les remparts ont été construits. Comme ils étaient nombreux, ceux qui ont fait ce travail ! Mais parmi eux, il y en avait deux qui ont posé les cinq pierres. C'était un signe, tu comprends ? Je l'ai reconnu. »

Il se passa la main sur les yeux, ce qu'il avait l'intention de dire maintenant semblait être particulièrement difficile.

« Ils avaient un air différent, ces deux-là, dans le temps. Complètement différent. Mais moi, je *nous* ai reconnus, toi et moi ! Je *nous* ai reconnus ! » dit-il d'un ton dans lequel il y avait comme de la colère.

On ne peut pas en vouloir aux gens qui souriaient en écoutant Beppo philosopher, et derrière son dos certains faisaient des gestes signifiant que quelque chose ne tournait sûrement pas rond dans sa tête. Mais Momo aimait beaucoup Beppo et elle gardait tout ce qu'il disait dans son cœur.

L'autre meilleur ami de Momo était jeune et, à tous points de vue, tout le contraire de Beppo le balayeur des rues. C'était un beau garçon aux yeux rêveurs, mais qui avait la langue incroyablement bien pendue. Il était toujours bourré de plaisanteries et de bêtises, et avait un rire si contagieux que personne ne pouvait y résister. Son nom était Girolamo, mais on l'appelait simplement Gigi.

Comme à Beppo nous lui donnerons comme nom de famille celui de sa profession, bien qu'à vrai dire il n'en eût pas vraiment une. Nous l'appellerons donc Gigi Guide-touristique. Mais ce n'était là qu'une des multiples professions qu'il exerçait, selon les occasions qui se présentaient.

La seule condition à remplir pour exercer cette activité, c'était de posséder une casquette. Gigi ne la mettait que lorsque quelques touristes s'étaient égarés dans la région. Alors, d'un air sérieux, il s'approchait d'eux, leur proposait d'être leur guide et de tout leur expliquer. Quand les étrangers étaient d'accord, il démarrait et leur racontait n'importe quoi. Il jonglait tellement avec les événements, les noms et les dates inventées que les cerveaux des pauvres auditeurs étaient tout embrouillés. Quelques-uns s'en rendaient compte et quittaient le groupe, furieux ; mais la plupart prenaient tout pour argent comptant, et c'est pourquoi ils payaient aussi en argent comptant quand Gigi leur présentait sa casquette. Les gens des environs s'amusaient des inventions de Gigi, mais il leur arrivait aussi d'exprimer quelques réserves en objectant qu'il n'était pas honnête de se faire payer pour des histoires inventées de toutes pièces. Mais Gigi ne se laissait pas impressionner : « Tous les poètes font ça ! Est-ce que ces touristes n'en ont pas eu pour leur argent ? Je vous certifie qu'ils ont eu exactement ce qu'ils ont voulu. Qu'on trouve ou non ce que j'ai dit dans des livres savants, qu'est-ce que ça peut faire ? Qui peut vous garantir que les histoires qu'on lit dans les livres savants ne sont pas inventées ? Seulement, personne ne s'en souvient. » D'autres fois, il disait : « Bof ! Qu'est-ce que ça veut dire : vrai ou pas vrai ? Qui peut savoir ce qui s'est passé ici il y a mille ou deux mille ans ? Est-ce que vous le savez, vous, par hasard ? » Les autres étaient obligés de reconnaître qu'ils ne le savaient pas. « Eh bien alors, disait Gigi, de quel droit pouvez-vous affirmer que mes histoires ne sont pas vraies ? Il se pourrait très bien que, par hasard, tout se soit réellement passé comme je le dis. Dans ce cas, je n'aurais dit que la stricte vérité ! » Il était très difficile d'objecter quoi que ce soit à cette remarque.

Avec Gigi et sa faconde, on n'arrivait jamais à avoir le dernier mot.

Les touristes désireux de visiter l'amphithéâtre étaient malheureusement rares ; par conséquent, Gigi était souvent obligé d'exercer quelque autre profession. Suivant l'occasion qui se présentait, il était gardien de parking, témoin de mariage, promeneur de chiens, facteur chargé des lettres d'amour, figurant aux enterrements, marchand de souvenirs, vendeur de nourriture pour chat, et il faisait bien d'autres choses encore.

Mais le rêve de Gigi, c'était de devenir un jour riche et célèbre. Il habiterait alors dans une maison magnifique, entourée d'un parc ; il mangerait dans des assiettes d'or et dormirait dans des draps de

50

soie. Et sa gloire le ferait briller comme un soleil dont les rayons le chauffaient dès à présent, semblait-il, ce qui lui rendait sa pauvreté moins insupportable.

Lorsque les autres se moquaient de ses rêves d'avenir, il leur disait : « J'y arriverai ! Vous verrez ! » Mais comme il ne témoignait pas d'une assiduité inlassable et ne recherchait pas les travaux par trop astreignants, on se demandait comment il allait « y arriver » ; d'ailleurs lui-même n'aurait pas su l'expliquer.

« Ça, non et sous aucun prétexte ! dit-il à Momo. Regarde de quoi ils ont l'air, tous ceux qui ont vendu leur vie et leur âme contre un peu de prospérité ! Jamais je ne jouerai à ce jeu-là, en tout cas, pas comme ça. Tant pis si parfois je n'ai pas assez d'argent pour me payer un café, mais Gigi restera Gigi. »

On serait tenté de croire que deux personnages aussi différents à tous points de vue que Beppo et Gigi ne pourraient jamais être amis. Et cependant, ils l'étaient. Aussi étonnant que cela puisse paraître, le vieux Beppo fut le seul à ne jamais reprocher à Gigi sa frivolité. De même, Gigi fut le seul à ne jamais se moquer du vieux Beppo.

Tout cela tenait certainement à la manière exceptionnelle dont Momo les écoutait l'un et l'autre.

Aucun des trois amis ne pressentait qu'une ombre allait bientôt envahir leur amitié, et non seulement leur amitié, mais toute la région — une ombre qui grandissait sournoisement, obscure et froide, et qui s'étendait déjà sur la grande ville.

C'était comme une conquête silencieuse et imperceptible qui gagnait chaque jour un peu de terrain et contre laquelle personne ne se défendait, car personne ne se rendait vraiment compte de ce qui se passait. Et qui donc projetait cette ombre ?

Même le vieux Beppo, qui voyait tant de choses que les autres ne voient pas, ne s'aperçut pas de la présence de plus en plus nombreuse des messieurs en gris qui semblaient être, constamment, débordés d'occupations. Ils n'étaient pas vraiment invisibles, mais on les voyait sans les voir. De manière étrangement inquiétante, ils savaient passer inaperçus. On ne les voyait pas, tout simplement, ou on les oubliait aussitôt après les avoir vus. C'était précisément parce qu'ils ne se cachaient pas qu'ils pouvaient travailler en secret. Comme ils passaient inaperçus, personne ne cherchait à savoir d'où ils étaient venus et même d'où ils venaient encore, car leur nombre augmentait chaque jour.

Ils passaient dans les rues, dans des voitures grises et luxueuses ; ils allaient dans toutes les maisons, on les voyait dans tous les restaurants. Souvent, ils notaient quelque chose sur leurs petits agendas.

Ces messieurs étaient entièrement vêtus de gris, et leurs visages étaient également gris cendre. Ils portaient un chapeau melon et fumaient de petits cigares gris. Aucun d'eux ne quittait jamais son porte-documents gris.

Même Gigi ne s'était pas aperçu qu'à plusieurs reprises quelques-uns de ces messieurs en gris étaient venus tourner autour de l'amphithéâtre tout en prenant des notes.

Seule Momo les avait observés un soir, alors que leurs sinistres silhouettes se détachaient au-dessus des ruines. Ils s'étaient fait toutes sortes de signes, puis ils parurent comploter. On n'entendait rien, et Momo ressentit, tout à coup, un froid glacial dans le dos. De s'envelopper davantage dans sa grosse veste n'y changeait rien, car ce n'était pas un froid ordinaire.

Puis les messieurs en gris repartirent.

Ce soir-là, ce ne fut pas comme d'habitude, Momo ne réussit pas à entendre la musique douce et puissante ; mais le lendemain, la vie reprit son cours habituel, et Momo ne pensa plus aux visiteurs inquiétants de la veille.

5

Gigi, le conteur

Avec le temps, Momo était devenue absolument indispensable à Gigi. Il était tombé profondément amoureux de cette petite fille aux cheveux hirsutes et aurait voulu l'emmener avec lui partout où il allait.

Comme nous l'avons déjà vu, il adorait raconter des histoires. Mais avant de connaître Momo, ses histoires étaient souvent assez plates, sans grand intérêt, parfois même ennuyeuses. Il se répétait, se servait d'un film qu'il avait vu ou d'un article qu'il venait de lire dans le journal. Ses histoires traînaient la patte, pour ainsi dire, alors que maintenant elles avaient des ailes, ce dont il se rendait parfaitement compte.

Quand Momo se trouvait parmi ses auditeurs, sa fantaisie fleurissait comme un pré au printemps. Une foule d'enfants et d'adultes l'entouraient. Il racontait maintenant des histoires qui étaient de véritables romans-feuilletons, se poursuivant pendant des jours, pendant des semaines. Son imagination était inépuisable. D'ailleurs, il s'écoutait parler avec beaucoup d'intérêt, car il ne savait jamais à l'avance où son imagination le conduirait.

Un jour, comme des touristes étaient arrivés, désireux de visiter l'amphithéâtre (Momo était assise un peu à l'écart), Gigi commença son discours en ces termes :

« Mesdames et messieurs ! Comme vous le savez tous, certainement, l'impératrice Harassantia Augustina livra d'innombrables guerres pour défendre son royaume contre les attaques répétées des Poltrons et des Timides.

« Ayant vaincu, une fois de plus, ses adversaires, l'impératrice se montra tellement irritée par ces éternels ennuis qu'elle menaça ses agresseurs de les exterminer tous, à moins que leur roi Xaxotraxolus ne lui cédât son poisson rouge. C'est qu'à cette époque, mesdames et messieurs, on ne connaissait pas encore les poissons rouges dans notre pays. Et un voyageur avait raconté à l'impératrice Harassantia que le roi Xaxotraxolus possédait un petit poisson qui, dès qu'il aurait fini de grandir, se transformerait en or pur. L'impératrice voulait donc absolument posséder cette chose si rare.

« Le roi Xaxotraxolus riait dans sa barbe. Il cacha le poisson rouge, qu'il possédait effectivement, sous son lit et, à la place, il fit apporter à l'impératrice une jeune baleine dans une soupière ornée de pierres précieuses. La taille de l'animal surprit l'impératrice, car elle avait imaginé le poisson rouge bien plus petit. "Mais, se dit-elle, plus grand il est, mieux ça vaut, car il n'en produira que davantage d'or." Ce qui l'inquiétait, c'était que le poisson ne brillait absolument pas ; mais l'ambassadeur du roi lui expliqua que le poisson ne se transformerait en or qu'une fois devenu adulte, pas avant. C'est pourquoi il ne fallait troubler sa croissance sous aucun prétexte. L'impératrice se contenta de cette explication.

« Le jeune poisson grandissait donc à vue d'œil et avalait des quantités monstrueuses de nourriture. Mais l'impératrice en avait les moyens ; le poisson fut donc véritablement gavé et devint gros et gras. La soupière fut rapidement trop petite pour lui.

« "Plus grand il sera, mieux ça vaudra !" dit l'impératrice, qui le fit transvaser dans sa baignoire, laquelle, très vite, ne suffit pas non plus. Il grandissait sans cesse, il ne resta donc plus qu'à l'installer dans la piscine impériale, entreprise assez compliquée, car le poisson était maintenant aussi lourd qu'un bœuf. Un des esclaves qui le transportaient glissa, et, pour le punir, l'impératrice le donna aussitôt à manger aux lions. Elle ne vivait plus que pour le poisson.

« Tous les jours, elle passait de longues heures au bord de la piscine et le regardait grandir en pensant à tout cet or. Tout le monde sait qu'Harassantia menait une vie très luxueuse et que, par conséquent, jamais elle n'aurait trop d'or. "Plus grand il sera, mieux ça vaudra !" murmurait-elle de temps en temps.

« Cette phrase fut décrétée mot d'ordre général et inscrite en lettres d'or sur tous les murs des édifices officiels.

« Mais, à la fin, le poisson se sentit aussi à l'étroit dans la piscine impériale. C'est alors qu'Harassantia Augustina fit construire l'édifice dont vous voyez ici les ruines, mesdames et messieurs. C'était un aquarium extraordinaire en forme de cercle, rempli d'eau jusqu'au bord et dans lequel le poisson fut enfin à l'aise.

« A partir de ce moment, l'impératrice regarda jour et nuit le poisson géant pour être sur place au moment de la métamorphose tant attendue. Elle ne faisait plus confiance à personne, ni à ses esclaves, ni aux membres de sa famille. Elle craignait qu'on ne lui vole le poisson. D'angoisse et de soucis, elle maigrissait de plus en plus, ne fermait pas l'œil de la nuit et surveillait le poisson qui barbotait gaiement dans l'eau sans avoir le moins du monde l'intention de se transformer en or. Harassantia finit par se désintéresser totalement de ses devoirs envers son peuple, ce qu'attendaient les Timides pour entreprendre une dernière guerre contre elle. Avec leur roi Xaxotraxolus à la tête de leur armée, ils conquirent tout l'empire en un tournemain. Ils ne rencontrèrent pas un seul soldat, et, de toute manière, le peuple se fichait complètement d'être gouverné par les uns ou par les autres.

« Lorsque l'impératrice Harassantia fut mise au courant de cette affaire, elle ne put dire que les mots bien connus : "Pauvre de moi ! Oh ! si seulement..." Malheureusement, le reste de sa phrase n'est pas arrivé jusqu'à nous. Nous savons pourtant qu'elle se jeta ensuite dans l'aquarium pour se noyer, à côté du poisson, tombeau de tous ses espoirs. Pour célébrer sa victoire, le roi Xaxotraxolus fit tuer la baleine et, pendant huit jours, le peuple tout entier mangea des filets de poisson grillés.

« Cela vous montre, mesdames et messieurs, jusqu'où peut mener la crédulité ! »

Gigi termina sa visite guidée par ces mots et ses auditeurs étaient visiblement impressionnés. Ils regardèrent la ruine, pleins de respect. Pourtant, l'un d'entre eux manifesta quelque méfiance et demanda :

« Quand est-ce que tout cela est censé avoir eu lieu ? »

Mais Gigi, qui ne se laissait jamais démonter, répondit :

« Nul n'ignore que l'impératrice Harassantia était contemporaine du célèbre philosophe Noiosius le Vieux. »

Naturellement, le sceptique n'aurait admis pour rien au monde qu'il n'avait jamais entendu parler de la vie et de la mort du fameux philosophe Noiosius le Vieux. C'est pourquoi il se contenta de dire :

« Ah ah ! merci beaucoup. »

Tous les touristes étaient donc entièrement satisfaits de cette visite. Ils disaient que personne ne leur avait encore jamais décrit les temps anciens de façon aussi concrète et intéressante. Gigi présenta alors sa casquette avec modestie, et la générosité des gens correspondit à leur satisfaction. Même le sceptique lui donna quelques pièces.

Depuis que Momo était là, Gigi ne racontait plus jamais deux fois la même histoire. Il se serait ennuyé en s'écoutant parler. Quand Momo était parmi ses auditeurs, c'était comme si une vanne s'ouvrait pour frayer passage à un jaillissement ininterrompu d'idées toujours nouvelles. Parfois, il devait mettre un frein à son imagination pour ne pas dépasser les bornes, comme cela lui était arrivé avec les deux Américaines d'un certain âge, deux dames si distinguées. Il les avait terrifiées en leur racontant l'histoire suivante :

« Même dans votre belle et libre Amérique, tout le monde sait que le tyran si cruel Marxentius Communus, surnommé le Rouge, avait projeté de changer le monde existant dans sa totalité et de le faire ainsi qu'il l'imaginait. Mais quoi qu'il entreprît, il s'avéra que les hommes restaient à peu près les mêmes, ils ne voulaient tout simplement pas changer. Marxentius Communus en devint fou et vous n'ignorez pas, mesdames, que les médecins de l'âme n'existaient pas encore à cette époque. Il n'y avait donc pas d'autre solution que de permettre à ce tyran de vivre sa folie. Dans son délire, il eut l'idée de se désintéresser du monde existant et de construire un monde entièrement nouveau.

« Il donna l'ordre de fabriquer un globe de la même taille que notre vieille terre. Sur ce globe, chaque maison, chaque arbre, toutes les montagnes, toutes les mers et tous les lacs devaient être reproduits d'après nature. Et, sous la menace de la peine de mort, l'humanité entière de cette époque fut obligée de collaborer à cette œuvre gigantesque.

« On construisit d'abord un socle pour supporter le globe. Vous contemplez actuellement, mesdames, les ruines de ce socle.

« Ensuite, on entreprit la construction du globe lui-même : une boule géante, grande comme la terre.

« Lorsque cette boule fut terminée, on reproduisit sur sa surface tout ce qui se trouvait sur la terre. Inutile de vous dire que cette construction nécessita une quantité immense de matériaux, lesquels ne pouvaient être pris nulle part ailleurs que sur la terre elle-même, de sorte que celle-ci rapetissait au fur et à mesure que le globe grandissait.

« Pour terminer le nouveau monde, il fallut utiliser jusqu'au dernier petit caillou de la vieille terre dont il ne resta plus rien. Tous les hommes furent donc obligés de déménager pour s'installer sur le nouveau globe. Et Marxentius Communus ayant fini par comprendre que rien, au fond, n'avait changé, se voila la face sous sa toge et s'en alla. Où, on ne l'a jamais su.

« Regardez, mesdames, cette cavité en forme

60

d'entonnoir. Ce fut, à l'époque, la base sur laquelle reposait la surface de la terre. Il faut donc vous représenter le tout à l'envers. »

Les deux vieilles Américaines si distinguées pâlirent, et l'une d'elles demanda :

« Qu'est devenu le globe ?

— Mais vous êtes dessus, répondit Gigi. Le monde actuel, mesdames, c'est justement le nouveau globe. »

Cette révélation fit pousser un cri horrifié aux deux dames, qui prirent la fuite. Gigi présenta sa casquette en vain.

Ce que Gigi aimait le plus, c'était raconter une histoire quand il n'y avait que Momo pour l'écouter. Il racontait alors des contes de fées parce que c'était ce que Momo préférait, et, dans ces contes, il était presque toujours question de Gigi et de Momo.

Un beau soir d'été, les deux amis étaient assis tout en haut de l'amphithéâtre, dans un grand silence. Les premières étoiles scintillaient déjà et la lune se levait, grande et argentée, au-dessus du relief noir des pins.

« Tu me racontes une histoire ? demanda Momo tout doucement.

— D'accord, dit Gigi. Et de quoi doit-il y être question ?

— De Momo et de Girolamo, c'est ce que je préfère », répondit Momo.

Gigi réfléchit un moment puis demanda :

« Comment faut-il l'appeler ?

— Peut-être, *Le Conte du miroir magique* ? »

D'un air pensif, Gigi approuva d'un signe de tête.

« Ça sonne bien. On verra comment ça va se passer. »

Entourant Momo de son bras, il commença :

« Il était une fois une belle princesse appelée Momo. Elle était vêtue de velours et de soie et habitait, loin au-dessus du monde, sur un sommet couvert de neige dans un château de verre multicolore. Elle possédait tout ce que l'on peut imaginer ; elle ne mangeait que les mets les plus rares et ne buvait que les vins les plus doux. Elle dormait dans des draps de soie et s'asseyait sur des chaises en ivoire. Elle avait tout, mais elle était toute seule.

« Tout autour d'elle, ses domestiques, ses femmes de chambre, ses chiens, ses chats, ses oiseaux et même ses fleurs n'étaient que des images reflétées par un miroir. Car la princesse Momo possédait un miroir magique, grand et rond, fait de l'argent le plus pur. Chaque jour et chaque nuit, elle l'envoyait à travers le monde, et le grand miroir passait au-dessus des pays et des mers, des villes et des champs. Les gens le connaissaient bien et ne s'étonnaient pas ; ils disaient simplement : "Voilà la lune."

« Et chaque fois, quand le miroir magique revenait au château, il déversait aux pieds de la princesse les images qu'il avait captées pour elle pendant son voyage. Il y en avait de belles et de laides, d'intéressantes et d'ennuyeuses, comme cela s'était trouvé. La princesse choisissait celles qui lui plaisaient et jetait les autres dans un ruisseau. Et, en suivant les cours d'eau, les images ainsi libérées rejoignaient sur terre leurs propriétaires bien plus vite que tu pourrais le penser. C'est ainsi que chaque fois que l'on se penche au-dessus d'un puits ou d'une fontaine, on est regardé par sa propre image.

« J'ai oublié de te dire que la princesse Momo était immortelle, parce qu'elle n'avait jamais cherché à se voir elle-même dans son miroir. Elle n'ignorait pas, en effet, que celui qui contemple sa propre image dans le miroir devient mortel. Elle vivait donc entourée des nombreuses images captées pour elle, elle jouait avec elles et se sentait heureuse.

« Mais un jour, le miroir lui rapporta une image qui la troubla profondément, celle d'un jeune prince. Dès qu'elle l'aperçut, elle ressentit une langueur telle qu'elle voulut immédiatement le rejoindre. Mais comment faire ? Elle ne savait ni où il habitait, ni qui il était, elle ne connaissait même pas son nom.

« La princesse Momo ne trouva pas d'autre solution que de plonger longuement son regard dans le miroir, avec l'espoir que celui-ci pourrait ainsi apporter son image au prince. Bien entendu, ce geste lui fit perdre son immortalité.

« Mais avant de continuer, il faut que je te parle un peu du prince.

« Ce prince s'appelait Girolamo. Il gouvernait un

grand royaume qu'il avait créé lui-même, le Pays du Levant. Tout son peuple l'aimait et l'admirait. Un beau jour, les ministres dirent au prince : "Majesté, vous devez vous marier, car c'est l'usage." Le prince Girolamo n'avait pas d'objection à ce projet ; aussi les plus belles jeunes filles de tout le royaume furent amenées au palais afin qu'il puisse choisir celle qu'il préférait. Tu penses bien qu'elles s'étaient faites, toutes, aussi belles que possible pour attirer l'attention du prince et le charmer. Hélas ! une méchante fée avait réussi à se faufiler dans le palais parmi les autres jeunes filles. Dans ses veines ne coulait pas un sang rouge et chaud, mais vert et froid. Mais elle s'était si bien maquillée qu'il était impossible de s'en rendre compte.

« Au moment où le prince entra dans la salle du trône pour faire son choix, elle murmura rapidement une formule magique, et le pauvre Girolamo ne vit plus qu'elle et personne d'autre. Il la trouva tellement belle qu'il lui demanda sur-le-champ si elle voulait bien devenir sa femme.

« "Volontiers, chuchota la méchante fée, mais à une condition.

« — Je la remplirai ! répondit Girolamo sans réfléchir.

« — Bien, dit la méchante fée avec un sourire à donner le vertige au prince. Pendant un an, tu n'auras pas le droit de lever les yeux sur le miroir d'argent qui plane dans les airs. Si tu le faisais, tu oublierais à l'instant même tout ce qui fait que tu es toi, c'est-à-dire ton nom, ton identité, et il te faudrait aller au Pays du Couchant où personne ne te connaîtrait et où tu serais condamné à vivre comme un pauvre diable pendant tout le reste de ta vie. Est-ce que tu acceptes ?

« — Si ce n'est que ça, fanfaronna le prince, c'est facile !"

« Voyons maintenant ce qui était arrivé pendant ce temps-là à la princesse Momo.

« Elle avait attendu, attendu, et, comme le prince ne venait pas, elle décida de partir elle-même à sa recherche. Elle congédia toutes les images qui l'entouraient et, chaussée de ses petites pantoufles délicates, elle quitta son château de verre multicolore et ses montagnes neigeuses pour descendre chez les hommes, dans le monde. Elle traversa toutes sortes de pays et quand elle arriva enfin au Pays du Levant, ses petites pantoufles étaient usées et elle dut marcher nu-pieds. Mais le miroir magique reflétant l'image de Momo poursuivait sa route tout en haut dans les airs.

« Une nuit, Girolamo et la méchante fée étaient assis sur le toit de leur palais d'or ; ils jouaient aux dames. Tout à coup, le prince reçut sur sa main une goutte minuscule.

« "Il commence à pleuvoir, dit la fée au sang vert.

« — Non, répondit le prince, c'est impossible, car le ciel est sans nuages."

« Il leva les yeux et regarda tout droit dans le grand miroir magique argenté au-dessus de lui. Il vit alors l'image de la princesse Momo et constata

65

qu'elle pleurait. C'était une de ses larmes qui était tombée sur sa main. Au même instant, il comprit que la fée l'avait trompé, qu'en réalité, elle n'était pas belle du tout, et que c'était du sang vert et froid qui coulait dans ses veines. Ce n'était pas elle, c'était la princesse Momo qu'il aimait.

« "Tu as rompu ton serment, dit la fée verte dont le visage ressemblait à celui d'un serpent, et maintenant, tu vas payer !"

« Elle plongea alors ses longs doigts verts dans la poitrine de Girolamo et fit un nœud avec son cœur. Il oublia instantanément qu'il était le prince du Pays du Levant ; il quitta son château et son royaume, comme un voleur, dans la nuit. Après avoir marché très longtemps, il arriva au Pays du Couchant où il ne connaissait personne. Il ne s'appela plus que Gigi et mena la vie d'un vagabond, d'un propre à rien. L'unique chose qu'il avait emportée avec lui, c'était l'image de la princesse Momo, l'image reflétée par le miroir magique qui, depuis ce temps-là, resta vide.

« Entre-temps, les belles robes de velours et de soie de la princesse Momo n'étaient plus que lambeaux. Elle portait maintenant une vieille veste d'homme, bien trop grande pour elle, et une jupe rapiécée de toutes les couleurs. Elle habitait dans des ruines. C'est là qu'un beau jour ils se rencontrèrent. Mais la princesse Momo ne reconnut pas le prince qui n'était maintenant plus qu'un pauvre diable. Gigi ne la reconnut pas davantage. Solidaires dans leur malheur, ils se lièrent d'amitié et se consolèrent l'un l'autre.

« Un soir, comme le miroir argenté et toujours vide passait au-dessus d'eux, Gigi sortit l'image déjà bien chiffonnée et effacée, pour la montrer à Momo. La princesse comprit tout de suite que c'était sa propre image qu'elle avait envoyée autrefois. Elle reconnut aussi le prince Girolamo qu'elle avait cherché partout et pour lequel elle avait renoncé à l'immortalité. Elle lui raconta tout.

« Mais Gigi hocha tristement la tête et lui dit : "Je ne peux rien comprendre à ce que tu me dis, car j'ai un nœud dans mon cœur qui tue mes souvenirs."

« La princesse Momo n'eut aucun mal à dénouer le cœur du prince, qui sut à l'instant même qui il était et d'où il venait. Il prit la princesse par la main et ils s'en allèrent très loin, jusqu'au Pays du Levant. »

Gigi avait terminé son histoire et, pendant un petit moment, tous deux restèrent silencieux. Puis Momo demanda :

« Et après, ils sont devenus mari et femme ?

— Je crois bien, répondit Gigi, plus tard.

— Et est-ce qu'ils sont morts depuis ?

— Non, dit Gigi fermement. J'ai oublié de te dire que ce n'est qu'en se regardant tout seul dans le miroir magique que l'on devient mortel. A deux, on retrouve son immortalité. Et c'est ce que le prince et la princesse ont fait. »

Une pleine lune, immense et argentée, s'était levée au-dessus des pins noirs et donnait un air mystérieux aux vieilles pierres. Assis l'un près de l'autre, silencieux, Momo et Gigi comprirent en cet instant qu'ils étaient immortels.

Deuxième Partie

Les messieurs en gris

6

Le compte est faux,
mais tombe juste

Il existe un mystère à la fois extraordinaire et tout à fait banal. Tous les hommes le partagent, chacun le connaît, mais bien peu cherchent à l'approfondir, la plupart ne s'en étonnant pas le moins du monde. Ce mystère, c'est le temps.

Pour le mesurer, ce temps, il y a les montres, les calendriers. Mais cela ne signifie pas grand-chose ; chacun sait qu'une heure peut paraître interminable ou passer comme un éclair ; tout dépend de ce que l'on vit pendant cette heure précisément. Car le temps, c'est la vie, et la vie habite le cœur.

Personne ne le savait mieux que les messieurs en gris. Personne ne connaissait comme eux la valeur d'une heure, d'une minute, et même d'une seconde de vie. Naturellement, ils s'y entendaient à leur façon, tout comme les sangsues s'y entendent, quand il s'agit de sang, et ils œuvraient en conséquence.

Ils avaient des projets bien à eux en ce qui concernait le temps des hommes. Des projets soigneusement préparés qui visaient loin. Ce qui comptait le plus, pour eux, c'était de passer inaperçus. Sans se faire remarquer, ils s'étaient installés dans la vie de la grande ville et de ses habitants. Et, sans que personne y prît garde, ils gagnaient chaque jour du terrain et prenaient possession des hommes.

Ils connaissaient, avant que les personnes s'en doutent, celles qui serviraient le mieux leurs desseins. Les messieurs en gris n'attendaient que le moment favorable pour se saisir de leurs proies et ils faisaient tout leur possible pour que ce moment arrive.

Prenons, par exemple, le cas de M. Fusi, le coiffeur. Ce n'était pas un grand artiste, mais, dans sa rue, il jouissait d'une très bonne réputation. Il n'était ni riche ni pauvre. Sa petite boutique était située au centre de la ville, et il avait un apprenti.

Un jour, M. Fusi était sur le pas de sa porte et attendait le client. L'apprenti avait congé et M. Fusi était seul. Il regardait tomber la pluie, tout était triste et gris, le temps, comme son âme.

« Ma vie se déroule entre le cliquetis des ciseaux, les bavardages et la mousse de savon, pensait-il. Quel intérêt ? Une fois que je serai mort, ce sera comme si je n'avais jamais existé. »

En réalité, M. Fusi aimait beaucoup bavarder avec ses clients auxquels il faisait part de ses opinions pour savoir ce qu'ils en pensaient. Il n'avait rien non plus contre le cliquetis des ciseaux et la mousse de savon. Il faisait son travail avec grand plaisir et savait qu'il le faisait bien. Pour raser ses clients sous le menton à rebrousse-poil, il n'avait pas son pareil. Mais il y a des moments dans la vie où plus rien n'a de sens. Cela peut arriver à tout le monde.

« Toute ma vie est ratée, pensait-il. Qui suis-je, sinon un petit coiffeur. Si je pouvais mener la vraie vie, je serais un autre homme ! »

Mais M. Fusi ne savait, au fond, pas très bien ce que serait cette vraie vie. Il imaginait seulement quelque chose d'important, de luxueux, comme dans les journaux illustrés. Toujours de mauvaise humeur, il poursuivit sa pensée :

« Mais mon travail ne me laisserait même pas le temps d'en profiter. Pour la vraie vie, il faut avoir du temps. Il faut être libre. Et moi, je suis prisonnier du cliquetis de mes ciseaux, des bavardages et de la mousse de savon, et je le resterai toute ma vie ! »

A cet instant, une élégante voiture grise s'arrêta exactement devant la boutique de M. Fusi. Un monsieur en gris en descendit et entra dans la boutique. Après avoir posé sa serviette grise sur la table devant la glace et accroché son chapeau melon au portemanteau, il s'installa sur le fauteuil, sortit son agenda dont, tout en tirant de grosses bouffées d'un petit cigare gris, il tournait les pages. M. Fusi ferma la porte, car il lui sembla soudainement ressentir un froid inhabituel dans sa boutique.

« Que désirez-vous ? demanda-t-il, un peu troublé. La barbe ou une coupe de cheveux ? »

Il se reprocha tout aussitôt son manque de tact, car le monsieur était complètement chauve.

« Rien de tout cela, dit le monsieur en gris d'une voix étrangement sourde, grise, pour ainsi dire, et sans un sourire. Je viens de la Caisse d'épargne du temps et je suis l'agent n° XYQ/384/b. Nous savons que vous désirez ouvrir un compte chez nous.

— Ah ! dit M. Fusi, plus troublé encore, c'est tout nouveau pour moi. Je vous avoue que j'ignorais l'existence d'un institut de ce genre.

— Eh bien, maintenant, vous le savez, répondit l'agent d'un ton sec. Vous êtes bien M. Fusi, coiffeur ?

— En effet, c'est moi-même.

— Alors je suis au bon endroit, conclut le monsieur en gris tout en fermant son agenda. Vous êtes candidat chez nous.

— Comment cela ? demanda M. Fusi étonné.

— Vous voyez, cher monsieur Fusi, dit l'agent, vous gaspillez votre vie entre le cliquetis des ciseaux, les bavardages et la mousse de savon. Quand vous serez mort, ce sera comme si vous n'aviez jamais existé. Si vous aviez du temps pour mener la vraie vie, vous seriez un autre homme. Par conséquent, ce dont vous avez besoin, c'est de temps. N'ai-je pas raison ?

— C'est justement ce à quoi je venais de penser, murmura M. Fusi tout en frissonnant, car, malgré la porte fermée, le froid devenait de plus en plus pénétrant.

— Alors, vous voyez ! dit le monsieur en gris visiblement satisfait. Mais où le prend-on, le temps ? Le seul moyen, c'est de l'économiser ! Vous, monsieur Fusi, vous gaspillez votre temps de façon impardonnable. Un simple petit calcul vous le prouvera. Une minute a soixante secondes, et une heure a soixante minutes. Vous me suivez ?

— Absolument », dit M. Fusi.

Muni d'une craie grise, l'agent n° XYQ/384/b se mit à écrire des chiffres sur la glace.

« Soixante fois soixante font trois mille six cents. Une heure a donc trois mille six cents secondes. Une journée a vingt-quatre heures, donc trois mille six cents multipliés par vingt-quatre, cela fait quatre-vingt-six mille quatre cents secondes par jour. Et on sait bien qu'un an a trois cent soixante-cinq jours, donc trente et un millions cinq cent trente-six mille secondes. Ou encore trois cent quinze millions trois cent soixante mille secondes en dix ans. Jusqu'à quel âge comptez-vous vivre, monsieur Fusi ?

— Eh bien, balbutia M. Fusi, quelque peu embarrassé, j'espère atteindre soixante-dix à quatre-vingts ans, si Dieu le veut !

— Bien, poursuivit le monsieur en gris, soyons prudents et supposons, pour l'instant, que vous vivrez jusqu'à soixante-dix ans. Cela représenterait donc trois cent quinze millions trois cent soixante mille multipliés par sept, donc deux milliards deux

cent sept millions cinq cent vingt mille secondes. »
Il écrivit ce chiffre sur la glace en le soulignant
plusieurs fois. « Cela, monsieur Fusi, représente,
par conséquent, la fortune dont vous disposez »,
déclara-t-il.

Cette somme donna le vertige à M. Fusi qui
s'essuya le front de la main. Jamais il n'aurait
imaginé qu'il était aussi riche !

« N'est-ce pas ? dit l'agent en aspirant une bouffée
de son petit cigare gris. C'est un chiffre impressionnant ! Mais continuons. Quel âge avez-vous, monsieur Fusi ?

— Quarante-deux ans », balbutia celui-ci en se
sentant soudainement coupable comme s'il avait
commis une escroquerie.

Le monsieur en gris continua son enquête.

« En moyenne, combien d'heures dormez-vous
par nuit ?

— A peu près huit heures », avoua M. Fusi.

L'agent se livra alors à un calcul ultra-rapide. La
craie grise crissa sur la glace, ce qui donna la chair
de poule à M. Fusi.

« Pendant quarante-deux ans, huit heures par
jour, ça fait quatre cent quarante et un millions
cinq cent quatre mille, somme que nous pouvons
considérer, à juste titre, comme perdue. Combien
d'heures avez-vous sacrifiées chaque jour à votre
travail ?

— Aussi huit heures, à peu près, reconnut M. Fusi.

— Cela nous oblige de porter encore une fois la
même somme sur le compte déficitaire, continua

l'agent, impitoyable. N'oublions pas que vous perdez aussi un certain temps, car vous êtes obligé de vous alimenter. Combien de temps vous faut-il, dans l'ensemble, pour tous vos repas ?

— Je ne sais pas exactement, dit M. Fusi, tout intimidé, peut-être deux heures ?

— Ça me semble peu, dit l'agent. Mais admettons ce chiffre pour le moment ; en quarante-deux ans, nous obtiendrons la somme de cent dix millions trois cent soixante-seize mille. Continuons ! Nous savons que vous vivez seul avec votre vieille mère. Vous sacrifiez tous les jours une heure entière à la vieille femme, c'est-à-dire que vous vous asseyez auprès d'elle pour lui parler alors qu'elle est sourde et n'entend presque plus. C'est donc du temps jeté par la fenêtre : cela revient à cinquante-cinq millions cent quatre-vingt-huit mille secondes. Pour comble d'inutilité, vous avez une perruche. Les soins que vous lui prodiguez vous coûtent un quart d'heure par jour, ce qui représente treize millions sept cent quatre-vingt-dix-sept mille !

— Mais..., remarqua M. Fusi.

— Ne m'interrompez pas ! lui intima l'agent qui calculait de plus en plus vite. Comme votre mère est handicapée, vous êtes obligé de faire une partie du ménage vous-même, n'est-ce pas, monsieur Fusi ? Vous devez faire les courses, cirer les chaussures et autres corvées de ce genre. Combien de temps cela vous coûte-t-il par jour ?

— Peut-être une heure, mais...

— Vous perdez donc encore cinquante-cinq millions cent quatre-vingt-huit mille secondes, monsieur Fusi. Nous savons aussi que vous allez au cinéma une fois par semaine ; une fois par semaine aussi, vous chantez dans une chorale et, deux fois par semaine, vous allez au cercle. Le reste du temps, vous rencontrez des amis, il vous arrive même de lire un livre. Bref, pendant deux ou trois heures par jour, vous tuez votre temps par des activités inutiles, ce qui fait cent soixante-cinq millions cinq cent soixante-quatre mille. Vous ne vous sentez pas bien, monsieur Fusi ?

— Non, répondit M. Fusi. Je vous prie de m'excuser...

— Nous en aurons tout de suite terminé, dit le monsieur en gris. Il faut que nous considérions juste encore la partie pour ainsi dire secrète de votre vie. Vous savez bien... »

M. Fusi avait maintenant tellement froid qu'il se mit à claquer des dents.

« Comment, cela aussi vous le savez ? murmura-t-il complètement abattu. Je pensais qu'en dehors de moi et de Mlle Daria... »

L'agent n° XYQ/384/b lui coupa la parole :

« Les secrets n'ont plus de place dans notre monde moderne. Il faut être réaliste et s'en tenir aux faits, monsieur Fusi. Répondez franchement à ma question : Avez-vous l'intention d'épouser Mlle Daria ?

— Non, ce n'est pas possible... dit M. Fusi.

— Très juste, continua le monsieur en gris, car Mlle Daria, avec ses jambes estropiées, restera

78

toujours dans sa chaise roulante. Pourtant, vous lui rendez visite tous les jours pendant une demi-heure pour lui apporter une fleur. A quoi bon ?

— Ça lui fait toujours tellement plaisir, répondit M. Fusi, les larmes aux yeux.

— Mais, d'un point de vue réaliste, c'est du temps perdu pour vous, répondit l'agent. Au total, cela fait déjà vingt-sept millions cinq cent quatre-vingt-quatorze mille secondes. Et si l'on y ajoute votre habitude de vous asseoir tous les soirs pendant un quart d'heure à la fenêtre ouverte pour réfléchir à la journée passée, nous avons un autre déficit de treize millions sept cent quatre-vingt-dix-sept mille. Voyons maintenant ce qui vous reste, monsieur Fusi. »

Sur la glace, on pouvait lire le compte suivant :

	(en secondes)
Sommeil	441 504 000
Travail.	441 504 000
Alimentation	110 376 000
Mère.	55 188 000
Perruche	13 797 000
Courses, etc.	55 188 000
Amis, chorale, etc.	165 564 000
Secret.	27 594 000
Fenêtre	13 797 000
Ensemble	1 324 512 000

En tapant tellement fort avec la craie contre la glace que l'on aurait cru entendre des coups de revolver, le monsieur en gris continua sa démonstration :

« Cette somme représente donc le temps déjà perdu jusqu'à ce jour. Qu'en pensez-vous, monsieur Fusi ? »

M. Fusi ne dit rien. Il s'assit sur une chaise et, avec son mouchoir, essuya la sueur froide qui perlait sur son front.

D'un air grave, le monsieur en gris hocha la tête.

« Oui, oui, dit-il, vous voyez juste. Ça fait déjà plus de la moitié de votre fortune initiale. Mais voyons un peu ce qui vous reste de vos quarante-deux ans. Comme vous le savez, un an est égal à trente et un millions cinq cent trente-six mille secondes ; multipliées par quarante-deux, cela donne un milliard trois cent vingt-quatre millions cinq cent douze mille secondes. »

Il écrivit ce chiffre au-dessous de la somme de temps perdu :

$$1\ 324\ 512\ 000 \text{ secondes}$$
$$\underline{-\ 1\ 324\ 512\ 000 \text{ secondes}}$$
$$0\ 000\ 000\ 000 \text{ seconde}$$

Il remit la craie dans sa poche et fit une pause prolongée pour que la vue de tous ces zéros fasse son effet sur M. Fusi, ce qui ne manqua pas de se produire.

« Voilà donc le bilan de ma vie jusqu'à ce jour »,
pensa M. Fusi.

Le compte l'avait impressionné au point de lui
faire tout accepter sans protestation. Et le compte
tombait juste, un des trucs dont se servaient les
messieurs en gris pour escroquer les hommes à
mille occasions.

L'agent n° XYQ/384/b reprit la parole d'une voix
doucereuse :

« Vous ne trouvez pas, monsieur Fusi, que vous
ne pouvez pas continuer ainsi ? Est-ce que vous ne
préféreriez pas commencer à économiser ? »

M. Fusi, violacé de froid, fit oui de la tête.

La voix grise de l'agent heurta l'oreille de M. Fusi :

« Si, par exemple, vous aviez commencé, il y a
vingt ans, à n'économiser tous les jours qu'une
seule et unique heure, vous seriez aujourd'hui en
possession d'un avoir de vingt-six millions deux
cent quatre-vingt mille secondes. Avec deux heures,
ça ferait bien entendu le double, donc cinquante-
deux millions cinq cent soixante mille secondes.
Franchement, monsieur Fusi, que représentent deux
misérables heures face à une telle somme ?

— Rien ! s'exclama M. Fusi. Une bagatelle !

— Ça me fait plaisir que vous le reconnaissiez,
continua l'agent avec indifférence. Si nous calcu-
lions encore ce que vous auriez pu économiser en
vingt ans de plus et dans les mêmes conditions,
nous atteindrions la somme coquette de cent cinq
millions cent vingt mille secondes. Tout ce capital

serait à votre libre disposition pour vos soixante-deux ans.

— C'est extraordinaire ! balbutia M., Fusi en ouvrant de grands yeux.

— Attendez, attendez ! dit le monsieur en gris. Il y a encore bien mieux. Nous, c'est-à-dire la Caisse d'épargne du temps, nous ne gardons pas simplement le temps économisé pour vous, mais nous vous payons aussi des intérêts, ce qui signifie qu'en réalité, vous auriez un capital encore plus important.

— Combien plus ? demanda M. Fusi, le souffle coupé.

— Cela dépendra entièrement de vous, expliqua l'agent, c'est-à-dire de la somme que vous aurez économisée et pendant combien de temps vous nous laisserez vos économies.

— Vous laisser mes économies ? Qu'est-ce que vous voulez dire par là ? demanda M. Fusi.

— Oh, c'est très simple, déclara l'agent. Si vous ne nous réclamez pas votre temps économisé avant cinq ans, nous doublons la somme sur votre compte. Tous les cinq ans, votre capital est multiplié par deux, vous comprenez ? Après dix ans, cela représenterait déjà quatre fois la somme initiale, après quinze ans, huit fois et ainsi de suite. Si vous aviez commencé à économiser, il y a vingt ans, tous les jours deux heures, vous disposeriez à soixante-deux ans, donc après quarante ans, de deux cent cinquante-six fois la somme économisée jusque-là, à savoir vingt-six milliards neuf cent dix millions sept cent vingt mille secondes. »

Et il reprit sa craie grise pour écrire également ce chiffre sur la glace :

26 910 720 000 secondes

« Constatez-le vous-même, monsieur Fusi, dit-il, et, pour la première fois, il esquissa un sourire. Ce serait plus que dix fois le temps total de votre vie. Et cela en n'économisant que deux heures par jour. Vous ne pensez pas que c'est là une offre avantageuse ?

— Ah ça ! oui ! sans aucun doute ! dit M. Fusi, épuisé. C'est vraiment un grand malheur que je n'aie pas commencé à économiser depuis longtemps déjà, je ne le reconnais que maintenant, et je dois avouer que je suis désespéré !

— Il n'y a vraiment pas de quoi, dit doucement l'agent. Il n'est jamais trop tard pour bien faire. Si vous le désirez, vous pouvez commencer aujourd'hui même. Vous verrez que cela en vaut la peine.

— Je pense bien ! Que faut-il que je fasse ? s'écria M. Fusi, plein d'enthousiasme.

— Mais, mon cher, vous savez quand même comment on économise du temps ! répondit l'agent en haussant les sourcils. Disons qu'il vous faut simplement travailler plus vite et vous débarrasser de tout ce qui est superflu. Au lieu de consacrer une demi-heure à un client, ce ne sera plus qu'un quart d'heure. Vous vous abstiendrez de tout bavardage, ce qui ne fait que vous voler du temps. Vous réduirez l'heure consacrée à votre vieille mère à une demi-heure. Le mieux serait, d'ailleurs, de la mettre dans un hospice de vieillards, un bon établissement, mais pas trop cher, où l'on prendra soin d'elle ; ça vous fera gagner une heure par jour. Débarrassez-vous de votre perruche parfaitement inutile. Quant à Mlle Daria, n'allez plus la voir qu'une fois par quinzaine, si tant est que vous jugiez ces visites indispensables. Supprimez le quart d'heure des nouvelles à la radio et, surtout, ne gaspillez plus autant de temps avec le chant, la lecture ou, pis encore, avec vos prétendus amis. Je vous recommande, d'ailleurs, d'installer dans votre boutique une grande horloge qui marche bien afin de contrôler exactement le travail de votre apprenti.

— C'est entendu, dit M. Fusi, tout cela est faisable ; et que faudra-t-il faire du temps qui me restera de cette façon ? Faudra-t-il le déposer ? Et où ? Est-ce que je devrai le garder ? Comment tout cela va-t-il se passer ?

— Ne vous en faites donc pas ! dit le monsieur en gris, en souriant pour la seconde fois. Nous nous en chargerons. Vous pouvez être assuré que pas le moindre petit bout du temps que vous aurez économisé ne sera perdu pour vous. Vous constaterez vous-même qu'il ne vous restera rien.

— D'accord, dit M. Fusi un peu troublé, je compterai donc sur vous.

— Permettez-moi alors de vous souhaiter la bienvenue en tant que nouveau membre au sein de la grande communauté des épargnants de temps, dit l'agent en se levant. A partir de maintenant, vous êtes vraiment un homme moderne, un homme d'avant-garde, monsieur Fusi. Je vous en félicite !

— Un instant ! s'écria M. Fusi. Ne devons-nous pas faire un quelconque contrat ? Signer quelque chose ? Est-ce que l'on ne me donnera pas un document ? »

L'agent nº XYQ/384/b se retourna sur le pas de la porte, l'air un peu irrité.

« A quoi bon ? demanda-t-il. L'épargne de temps ne se compare à aucune autre forme d'épargne. C'est, de part et d'autre, une affaire de confiance absolue ! Votre accord nous suffit ; il est irrévocable. Nous prendrons soin de vos économies. Mais la somme économisée dépendra, bien entendu, de vous. Nous ne vous forçons à rien. Au revoir, monsieur Fusi. »

L'agent monta dans sa grosse voiture grise et démarra en trombe. M. Fusi le suivit du regard, se tenant le front de la main. Il se réchauffa petit à petit, mais il se sentait malade, pitoyable. Le petit cigare de l'agent avait répandu une fumée bleue et tenace dans la boutique. M. Fusi ne se sentit mieux qu'une fois la fumée disparue, et, en même temps, les chiffres sur la glace s'effacèrent. Avec leur disparition totale disparut aussi le souvenir du visiteur. A M. Fusi ne restait plus que le souvenir de « sa décision », qu'il était persuadé avoir prise lui-même : la volonté d'économiser du temps dès à présent en vue de mener ultérieurement une vie différente s'était fixée dans sa tête comme l'hameçon dans la gueule du poisson.

Le premier client de la journée arriva peu après. M. Fusi, d'humeur maussade, le servit rapidement, sans rien ajouter de superflu, sans bavarder et, au lieu de mettre une demi-heure, il ne mit que vingt minutes pour terminer son travail.

Et c'est ainsi qu'il procéda avec chaque client. Son travail ne lui plaisait plus du tout, mais ce n'était plus ce qui lui importait à présent. Il engagea deux autres apprentis et, pour être certain qu'ils ne perdent pas une seconde, il les surveillait sévèrement. Chaque geste figurait sur un emploi du temps. Dans sa boutique, M. Fusi avait accroché une pancarte sur laquelle on lisait : ÉCONOMISER LE TEMPS, C'EST LE DOUBLER. Il écrivit une lettre brève et exempte de sentiments à Mlle Daria pour lui dire que, faute de temps, il ne pourrait plus venir. Il vendit sa perruche à une oisellerie. Il installa sa mère dans un hospice de vieillards convenable, mais pas trop cher ; il lui rendait visite une fois par mois. Et c'est ainsi que M. Fusi suivait à la lettre les conseils du monsieur en gris, tout en les prenant pour ses propres décisions.

Tout cela le rendit de plus en plus nerveux et agité, car, chose curieuse, de tout son temps économisé, il ne lui restait jamais rien. Ce temps disparaissait mystérieusement, sournoisement, imperceptiblement d'abord, puis d'une façon évidente ; les journées de M. Fusi devinrent de plus en plus courtes. Une semaine, un mois, une année après l'autre passaient sans qu'il s'en aperçût.

Comme il ne se rappelait plus la visite du monsieur en gris, il aurait normalement dû se demander où passait tout son temps. Mais cette question, il ne se la posait pas plus que les autres épargnants de temps. M. Fusi était comme possédé. Lorsqu'il constatait avec effroi que ses jours filaient de plus en plus vite, il économisait son temps avec plus d'acharnement encore.

M. Fusi n'était pas le seul de son espèce dans la grande ville. Le nombre de ceux qui se mirent à « économiser du temps » augmentait quotidiennement. Et plus nombreux ils étaient, plus ils étaient suivis par d'autres. En fait, il n'y avait pas d'autre choix, même pour ceux qui, au fond, n'en avaient aucune envie. Dix fois par jour, la radio, la télévision et les journaux expliquaient et vantaient les avantages de nouvelles trouvailles pour économiser du temps, et ainsi garantir la liberté et la vraie vie pour les temps à venir. Des affiches avec toutes sortes d'images du bonheur avaient été collées sur tous les murs des maisons et les colonnes Morris avec des slogans comme :

LES ÉPARGNANTS DE TEMPS VONT TOUJOURS MIEUX !
ou :
L'AVENIR APPARTIENT AUX ÉPARGNANTS DE TEMPS !
ou encore :
UTILISE MIEUX TA VIE - ÉCONOMISE TON TEMPS !

Mais la réalité était toute différente. Il est vrai que les épargnants de temps étaient mieux habillés, gagnaient davantage d'argent et pouvaient en dépenser plus que les gens qui habitaient autour de l'amphithéâtre. Mais ils avaient l'air fatigué, aigri, maussade, ils avaient un regard mauvais. Bien entendu, ils ne disaient jamais : « Va donc voir Momo ! » Ils n'avaient personne pour les écouter de façon à les rendre intelligents, conciliants ou même joyeux. D'ailleurs, même s'il y avait eu parmi eux quelqu'un doué des mêmes qualités, ils ne seraient probablement pas allés le voir, sauf peut-être si la chose avait pu être liquidée en cinq minutes ; autrement, ils auraient considéré cette démarche comme temps perdu. Même leurs heures libres devaient être utilisées au maximum, c'est-à-dire leur procurer en un temps record autant de distractions et de détente que possible. Ils avaient ainsi perdu la faculté de célébrer de vraies fêtes, gaies ou sérieuses. S'adonner à la rêverie était pour eux quasiment un crime. Mais, ce qu'il y avait de pire, c'était le silence. Car dans le silence ils étaient pris d'angoisse, se doutant confusément de ce qu'ils étaient en train de faire de leur vie. C'est pourquoi ils faisaient du bruit quand le silence les menaçait. Ce n'était pas des bruits gais d'enfants qui jouent, mais des bruits agressifs, qui exprimaient leur malaise et finissaient par envahir toute la ville.

Aimer son travail, le faire avec plaisir, c'était le cadet de leurs soucis. Bien au contraire, la seule chose importante, c'était d'arriver à travailler au maximum dans un minimum de temps. Dans tous les lieux de travail, les grandes usines et les bâtiments commerciaux, de grandes affiches vous disaient :

LE TEMPS EST PRÉCIEUX — NE LE PERDS PAS !
ou :
LE TEMPS, C'EST DE L'ARGENT
IL FAUT
L'ÉCONOMISER !

Il y avait également des affiches du même genre dans les bureaux des patrons et des directeurs, chez les médecins, dans les petits magasins et les grandes surfaces, les restaurants, les écoles et même dans les jardins d'enfants. Personne n'en était exclu.

La grande ville finit par changer d'aspect : les vieux quartiers furent détruits et, à leur place, on construisit des maisons neuves dépouillées de tout ce qui désormais était considéré comme superflu. Les constructeurs ne s'étaient pas non plus donné la peine d'adapter ces maisons aux besoins de leurs habitants, car, s'ils en avaient tenu compte, toutes les maisons auraient dû être différentes, ce qui aurait coûté beaucoup plus cher et aurait fait perdre du temps.

Au nord de la grande ville s'étendaient déjà de gigantesques quartiers neufs où s'élevaient en rangées interminables de grands immeubles, véritables casernes, qui se ressemblaient tous, comme un œuf à un autre. Des rues droites et ennuyeuses s'étiraient jusqu'à l'horizon, bref, un néant d'ordre ! La vie des habitants de ces quartiers se passait de la même façon : droite et ennuyeuse jusqu'à l'horizon ! Car tout était calculé, prévu d'avance, chaque centimètre, chaque instant.

Mais personne ne voulait admettre que sa vie devenait de plus en plus pauvre, monotone, glaciale.

Les enfants étaient les premiers à en souffrir, car personne n'avait plus le temps de s'occuper d'eux.

Mais le temps, c'est la vie. Et la vie habite dans le cœur.

Et plus les gens économisaient de temps, moins ils en avaient.

7

Momo cherche ses amis
et reçoit
la visite d'un ennemi

« C'est curieux, dit un jour Momo, mais j'ai
l'impression que nos vieux amis viennent me voir
de moins en moins. Il y en a plusieurs que je n'ai
plus vus depuis bien longtemps. »

En compagnie de Gigi, le guide pour étrangers,
et de Beppo, le balayeur des rues, elle était assise
sur les marches de la ruine, et tous trois regardaient
le coucher du soleil.

« Hé oui, pour moi, c'est pareil, dit Gigi d'un ton
pensif. De moins en moins de gens écoutent mes
histoires. Ce n'est plus comme avant. Il se passe
quelque chose.

— Mais quoi ? » demanda Momo.

Gigi haussa les épaules et, plongé dans ses
réflexions, il cracha sur la vieille ardoise pour
effacer les quelques lettres qu'il venait d'y tracer. Il
y avait quelques semaines, le vieux Beppo avait

trouvé cette ardoise dans une poubelle et l'avait apportée à Momo. Une ardoise abîmée, bien sûr, avec une fêlure au milieu, mais encore tout à fait utilisable. Depuis, Gigi apprenait tous les jours à Momo à écrire quelques lettres. Momo, avec sa bonne mémoire, arrivait déjà à lire convenablement. Pour l'écriture, c'était plus difficile.

Beppo qui venait de réfléchir longuement à la question posée par Momo, finit par dire :

« Oui, oui, c'est vrai. Ça s'approche. Dans la ville, c'est déjà partout. Je l'ai remarqué depuis longtemps.

— Mais quoi donc ? » demanda encore Momo.

Lentement, Beppo dit :

« Rien de bien. » Puis après un moment, il ajouta : « Il commence à faire froid.

— Mais non, dit Gigi, et de son bras il entoura le cou de Momo pour la consoler. Par contre, les enfants viennent de plus en plus nombreux.

— Oui, oui, justement, c'est pour ça, affirma Beppo.

— Qu'est-ce que tu veux dire par « ça » ? lui demanda Momo.

— Eh bien, ils ne viennent pas pour nous. Ils cherchent simplement un refuge », répondit Beppo.

Tous trois regardaient un groupe d'enfants qui s'amusaient devant eux à un nouveau jeu de ballon, une invention de cet après-midi-là.

D'anciens amis de Momo s'étaient mêlés au groupe : Paolo, le garçon avec les lunettes, Maria avec Dédé, son petit frère, le gros garçon à la voix de fausset qui s'appelait Massimo et aussi Franco, ce garçon qui avait l'air un peu paumé. Mais il y avait tous les nouveaux qui n'avaient rejoint la bande des habitués que depuis quelques jours et aussi un petit garçon qui venait là pour la première fois. Gigi semblait avoir raison : de jour en jour, il y en avait davantage. Momo aurait tellement aimé s'en réjouir, mais la plupart de ces enfants étaient maussades et ne savaient même pas jouer. Ils s'installaient sans rien faire, regardant jouer les autres. Parfois, ils perturbaient sournoisement le jeu et gâchaient tout. Mais grâce à la simple présence de Momo, ces enfants finissaient par se montrer plus gais et plus sociables. Souvent, ce fut même eux qui inventèrent les jeux les plus amusants en y participant avec enthousiasme. Mais l'arrivée presque quotidienne d'enfants toujours nouveaux, venant souvent de loin, ne facilitait rien : il fallait tout recommencer inlassablement, car il est bien connu qu'un unique trouble-fête suffit pour tout gâcher. Puis, récemment, quelque chose avait commencé que Momo n'arrivait pas à comprendre. De plus en plus souvent, les enfants apportaient toutes sortes de jouets avec lesquels il était absolument impossible de jouer. Par exemple, un tank qui se déplaçait par téléguidage, mais qui n'était bon à rien d'autre ; une fusée cosmique qui, accrochée à un bâton, tournait en rond à toute vitesse, et c'était là tout ce que l'on pouvait en faire. Ou encore un petit robot avec des yeux électriques qui marchait tout seul en remuant la tête, mais qu'en faire d'autre ?

Bien entendu, ces jouets avaient coûté très cher. Les amis de Momo n'en avaient jamais eus, et Momo elle-même encore moins. Tous ces objets étaient tellement perfectionnés, jusque dans leurs moindres détails, que l'on n'avait nul besoin d'imagination. A la fois fascinés et s'ennuyant visiblement, les enfants les regardaient souvent rouler, voler ou marcher, mais leur fantaisie n'en était pas stimulée pour autant. Ils finirent donc par reprendre leurs anciens jeux : quelques boîtes, une nappe déchirée, une souricière ou une poignée de cailloux faisaient l'affaire. Toutes les fantaisies étaient permises !

Ce soir-là, le jeu n'arrivait pas à démarrer. L'un après l'autre, les enfants s'arrêtèrent de jouer ; à la fin, ils étaient tous assis autour de Gigi, de Beppo et de Momo. Apparemment, ils espéraient que Gigi raconterait une histoire, mais ce n'était pas possible. Le petit garçon qui était venu aujourd'hui pour la première fois avait apporté un transistor et, assis un peu à l'écart, il le faisait marcher à toute force. C'était de la publicité.

« Tu ne pourrais pas faire marcher ton stupide appareil un peu moins fort ? lui demanda Franco d'un ton menaçant.

— Je ne peux pas te comprendre, lui dit le garçon étranger en ricanant, ma radio marche si fort !

94

— Baisse-la immédiatement ! » dit Franco en se levant.

Le garçon étranger pâlit un peu mais riposta énergiquement :

« Je n'ai pas d'ordre à recevoir de toi, ni de personne, je peux faire marcher ma radio aussi fort que je veux !

— Il a raison, dit Beppo. Nous ne pouvons rien lui interdire, nous ne pouvons que le lui demander poliment. »

Franco se rassit.

« Il n'a qu'à aller ailleurs, grommela-t-il, furieux. Il nous a déjà embêtés tout l'après-midi.

— Il doit avoir ses raisons », dit Beppo qui regarda le garçon attentivement et avec toute sa gentillesse habituelle.

Le garçon étranger restait silencieux. Un moment après, il baissa la force de sa radio et regarda ailleurs.

Momo s'approcha et vint s'asseoir auprès de lui. Il ferma sa radio.

Puis il y eut un moment de silence.

« Gigi, tu nous racontes quelque chose ? demanda l'un des nouveaux.

— Oh oui, s'il te plaît, renchérirent les autres. Une histoire drôle ! — Non, une histoire passionnante ! — Non, un conte de fées ! — Une aventure ! »

Mais pour la première fois de sa vie, Gigi ne voulut rien entendre :

« Je préférerais que ce soit vous qui me racontiez

quelque chose — sur vous, sur votre maison, sur ce que vous faites toute la journée et pourquoi vous êtes ici. »

Les enfants restèrent muets. Subitement, leurs visages avaient pris une expression triste et fermée.

« Nous avons maintenant une très belle voiture, dit finalement l'un d'eux. Le samedi, lorsque mon papa et ma maman ont le temps, ils la lavent. Si j'ai été sage, ils me permettent de les aider. Plus tard, moi aussi, j'en aurai une comme ça !

— Mais moi, dit une petite fille, si j'en ai envie, je peux aller tous les jours au cinéma. C'est parce qu'ils n'ont malheureusement plus le temps de s'occuper de moi ; le cinéma, c'est comme une garderie ! » Après une courte pause, elle ajouta : « Mais je ne veux pas être gardée. C'est pour cela que je viens ici en secret et je garde l'argent pour moi. Quand j'aurai assez d'argent, je m'achèterai un billet et j'irai voir les Sept Nains.

— Ce que t'es bête ! s'exclama un autre enfant. Ils n'existent pas pour de vrai !

— Si ! insista la petite fille. Je l'ai même vu sur un prospectus de voyage !

— J'ai déjà onze disques de contes, expliqua un petit garçon. Je peux les écouter aussi souvent que je veux. Avant, c'était toujours mon père qui me racontait quelque chose en rentrant le soir de son travail. C'était bien. Mais maintenant, il n'est plus jamais là, ou il est fatigué et n'a pas envie de raconter des histoires.

— Et ta mère ? demanda Maria.

— Elle n'est plus jamais là non plus.

— Oui, dit Maria, chez nous, c'est pareil. Mais, heureusement, j'ai Dédé. » Et elle embrassa son petit frère qui était assis sur ses genoux et continua : « Quand je rentre de l'école, je fais réchauffer notre déjeuner. Ensuite, je fais mes devoirs. Et puis... ajouta-t-elle en haussant les épaules, eh bien, on se promène un peu jusqu'au soir. Mais le plus souvent, on vient ici, heureusement ! »

Tous les enfants l'approuvèrent d'un signe de tête, car ils étaient tous plus ou moins logés à la même enseigne.

« Moi, je suis assez content, dit Franco, et pourtant il n'en avait pas l'air, que mes vieux n'aient plus de temps pour moi : autrement, ils se mettraient encore à se disputer, et moi, je recevrais des claques. »

Le garçon au transistor se mêla tout d'un coup à la conversation :

« Mais à moi, on me donne maintenant beaucoup plus d'argent de poche qu'avant.

— Bien sûr, dit Franco, c'est pour se débarrasser de nous ! Ils ne nous aiment plus. Mais ils ne s'aiment plus eux-mêmes non plus. Ils n'aiment plus rien. Voilà ce que je pense. »

Le garçon nouveau venu se mit en colère :

« Ce n'est pas vrai ! Mes parents m'aiment énormément. Ce n'est pas leur faute s'ils n'ont plus de temps. C'est la vie, quoi ! C'est pour ça qu'ils m'ont fait cadeau du transistor ! Il était très cher. C'est quand même une preuve — ou bien ? »

Tous se taisaient lorsque, brusquement, le garçon trouble-fête se mit à pleurer à chaudes larmes. Il essayait de les retenir mais n'y arrivait pas. Les autres enfants le regardaient, pleins de compassion, ou fixaient leurs yeux au sol. Maintenant, ils le comprenaient mieux et, au fond, ils se sentaient tous rejetés, comme lui.

« Oui, il commence à faire froid, dit encore le vieux Beppo.

— Peut-être qu'on me défendra bientôt de venir vous voir, dit Paolo, le garçon aux lunettes.

— Et pourquoi donc ? s'étonna Momo.

— Mes parents ont dit, expliqua Paolo, que vous n'êtes que des fainéants, des bons à rien, que vous volez son temps au Bon Dieu. C'est pourquoi vous en avez tant. Et comme il y a bien trop de gens de votre espèce, les autres ont de moins en moins de temps. Je ne dois plus venir ici pour ne pas devenir comme vous. »

Quelques enfants firent un signe affirmatif de la tête : on leur avait certainement dit la même chose.

Gigi regarda les enfants, l'un après l'autre :

« Et vous, est-ce que vous pensez, par hasard, la même chose de nous ? Mais alors, pourquoi venez-vous ?

— Moi, je m'en fiche, dit Franco. Mon vieux me dit toujours que, plus tard, je serai tout juste bon à devenir un voleur de grand chemin. Moi, je suis pour vous !

— Ah ! bon, dit Gigi, l'air étonné, vous nous prenez donc, vous aussi, pour des fainéants ? »

Troublés, les enfants fixèrent le sol. Seul Paolo regarda Beppo d'un œil scrutateur et dit à voix basse :

« Mes parents ne mentent pas. C'est quand même bien ce que vous êtes, non ? »

Ces paroles eurent pour effet de faire se redresser le vieux balayeur de toute sa petite taille ; il leva les trois premiers doigts de la main droite et dit :

« Jamais, mais vraiment jamais, je n'ai volé la plus petite parcelle de temps, ni à Dieu, ni à mes semblables, je le jure !

— Moi non plus ! ajouta Momo.

— Et moi de même ! » dit Gigi, une note grave dans la voix.

Impressionnés, les enfants restèrent immobiles. Personne ne mit en doute les paroles des trois amis.

Gigi, le premier, rompit le silence :

« Eh bien, je vais vous dire quelque chose : c'est qu'avant, les gens aimaient venir voir Momo pour qu'elle les écoute. Cela les aidait à se trouver eux-mêmes, si vous comprenez ce que je veux dire. Mais maintenant, cela ne les intéresse plus. Avant, les gens aimaient venir m'écouter pour sortir d'eux-mêmes. Cela ne les intéresse plus non plus. Ils n'ont plus le temps pour ces choses-là, pas plus qu'ils n'en ont pour vous, c'est ce qu'ils disent. C'est curieux, ne trouvez-vous pas, qu'ils n'aient plus de temps pour tout ce qui nous paraît, à nous, essentiel dans la vie ? »

A la manière des chats, Gigi plissa un peu les yeux et continua :

99

« L'autre jour, en ville, j'ai rencontré une vieille connaissance à moi, un coiffeur ; il s'appelle Fusi. Je ne l'avais plus vu depuis un certain temps et j'ai failli ne pas le reconnaître. Qu'est-ce qu'il avait changé ! Il était nerveux, maussade, pas content. Avant, c'était un type sympathique ; il savait bien chanter et avait des idées très personnelles sur une masse de choses. Et voilà que, subitement, il n'a plus de temps pour tout cela. Cet homme n'est plus que son propre fantôme, ce n'est plus Fusi, vous comprenez ? S'il ne s'agissait que de lui seul, je penserais simplement qu'il est devenu un peu fou. Mais partout, partout, on voit des gens comme lui. Chaque jour un peu plus. Même nos anciens amis s'y mettent. Je finis par me demander s'il existe une folie contagieuse !

— Certainement, dit Beppo, il ne peut s'agir que d'une sorte de contagion ! »

Momo était bouleversée :

« Alors, il faut absolument aider nos amis ! »

Ce soir-là, tous ensemble discutèrent longtemps pour savoir quoi faire. Mais ils ne se doutaient pas de la présence des messieurs en gris ni de leurs activités incessantes.

Les jours suivants, Momo se mit à la recherche de ses anciens amis pour apprendre d'eux ce qui se passait, et pourquoi ils ne venaient plus la voir.

Elle commença par Nicola, le maçon. Elle connaissait bien la maison où il habitait et la petite chambre qu'il occupait sous les toits. Mais il n'était pas là. Les autres gens de la maison savaient seulement que Nicola travaillait maintenant à la construction des grands bâtiments, de l'autre côté de la ville, et qu'il gagnait beaucoup d'argent. Ils ajoutèrent qu'il ne rentrait que rarement à la maison et toujours très tard. Souvent, il buvait un coup de trop, et, d'une façon générale, il était difficile de s'entendre avec lui.

Momo décida de l'attendre. Elle s'assit devant la porte de sa chambre, sur l'escalier. La nuit tomba et elle s'endormit.

Très tard, elle fut réveillée par des pas bruyants accompagnés d'un chant rauque. Nicola montait l'escalier en titubant. Lorsqu'il vit Momo, il tomba en arrêt devant elle.

« Hé, Momo ! grogna-t-il, visiblement gêné qu'elle le voie dans cet état, tu existes donc toujours ! Qu'est-ce que tu viens chercher ici ?

— Toi, répondit timidement Momo.

— Eh bien, toi alors ! dit Nicola en souriant. Voilà qu'elle vient en pleine nuit pour rendre visite à son vieil ami Nicola ! J'aurais bien voulu venir te voir depuis longtemps, mais je n'ai tout simplement plus de temps pour mes affaires privées. »

Il fit un geste vague de la main et s'assit lourdement à côté de Momo sur l'escalier.

« Tu n'imagines pas tout ce qui se passe, mon enfant ! Rien n'est plus comme avant ! Les temps changent. Là où je suis maintenant, on travaille de plus en plus vite, comme si on avait le diable aux trousses ! Chaque jour, on colle un nouvel étage, l'un après l'autre. Ce n'est plus comme avant ! Tout est organisé, chaque geste, jusqu'au plus petit, tu comprends ? »

Il continuait à parler, et Momo l'écoutait attentivement. Et plus elle l'écoutait, plus le discours de Nicola perdait de son enthousiasme. Il s'arrêta subitement et s'essuya la figure de ses mains calleuses.

« Des bêtises, tout ce que je dis là, dit-il tristement. Vois-tu, Momo, j'ai encore bu un coup de trop, ce qui m'arrive souvent, je le reconnais. La conscience d'un maçon honnête s'y oppose. Beaucoup trop de sable dans le mortier ! Comprends-tu ce que je veux dire ? Tout cela tiendra quatre ou cinq ans, et si quelqu'un se met à éternuer, tout s'écroulera. Du travail bousillé, tout ça, un bousillage ignoble ! Mais ce n'est pas le pire. Le pire, ce sont les maisons que nous construisons. On ne peut même pas appeler ça des maisons ; ce sont..., ce sont des silos à âmes ! C'est à vous faire tourner les sangs ! Mais, en quoi cela me regarde ? Je reçois mes sous et basta ! Eh bien, oui, les temps changent. Avant, j'étais différent. Quand nous avions construit quelque chose de bien et de beau, j'étais fier de mon travail. Mais maintenant... Lorsque j'aurai gagné assez d'argent, je ficherai tout en l'air et je ferai autre chose. »

La tête penchée en avant, Nicola regarda fixement dans le vide. Momo ne dit rien, elle l'écoutait seulement.

« Peut-être que je ferais bien de venir te voir, un de ces jours, pour te raconter tout ça, dit Nicola comme à lui-même. Oui, c'est vraiment ce que je devrais faire. Disons tout de suite demain, veux-tu ? Ou mieux, après-demain ? De toute façon, il faudra voir comment je pourrai m'arranger. Mais je viendrai sans faute. D'accord ?

— D'accord », répondit Momo, toute contente.

Puis ils se quittèrent, car ils étaient tous deux très fatigués.

Mais Nicola ne vint la voir ni le lendemain, ni le surlendemain. Il ne vint pas du tout. Peut-être n'avait-il vraiment plus de temps.

Ensuite, Momo rendit visite à Nino, l'aubergiste, et à sa plantureuse épouse. La vieille petite maison, au crépi tout taché par la pluie et avec une treille devant la porte, était située en bordure de la ville. Comme avant, Momo entra par la porte de la cuisine, à l'arrière. Par la porte ouverte, elle entendit Nino et sa femme Liliana se disputer violemment. Liliana manipulait toutes sortes de casseroles et de poêles à côté du fourneau. La transpiration faisait briller sa grosse figure. Nino lui parlait vivement tout en gesticulant. Dans un coin, le bébé, assis dans un panier, criait.

Sans faire de bruit, Momo s'assit à côté de lui. Elle le prit sur ses genoux et le berça jusqu'à ce qu'il se fût calmé. Le couple interrompit sa dispute et regarda.

« Ah, c'est toi, Momo, dit Nino avec un petit sourire distrait. Ça fait plaisir de te revoir.

— Veux-tu manger quelque chose ? » demanda Liliana d'un ton un peu revêche.

Momo secoua la tête.

« Alors, qu'est-ce que tu veux ? demanda Nino, irrité. Pour le moment, nous n'avons vraiment pas de temps pour toi.

— Je voulais seulement vous demander pourquoi vous ne venez plus me voir, répondit Momo doucement.

— Je n'en sais rien, dit Nino. En tout cas, pour l'instant, nous avons d'autres soucis.

— Oui, c'est vrai, s'écria Liliana, et sa voix couvrit le bruit des casseroles, il a bien d'autres soucis maintenant ! Par exemple, comment dégoûter de chers vieux clients pour qu'ils s'en aillent, tels sont ses soucis actuels. Tu te rappelles les petits vieux, Momo ? Ceux qui étaient toujours assis à la table, là-bas, dans le coin ? Il les a chassés, flanqués à la porte, purement et simplement !

— Non, je ne les ai pas chassés, se défendit Nino. Je les ai priés très poliment de bien vouloir se trouver une autre auberge. Et tant qu'aubergiste, c'est mon droit.

— Ton droit ! Ton droit ! se fâcha Liliana. Cela ne se fait pas, voilà tout. C'est inhumain, c'est ignoble ! Tu sais très bien qu'ils ne trouveront pas d'autre local. Chez nous, ils ne dérangeaient personne !

— Naturellement, ils ne dérangeaient personne, s'écria Nino, pour la bonne raison que tant que ces vieux types mal rasés ont traîné chez nous, les gens

104

convenables, ceux qui avaient de l'argent à dépenser, ne venaient pas. Tu crois que ça leur plaisait, aux gens ? Et avec le seul et unique verre de vin ordinaire que chacun d'eux pouvait se payer par soirée, nous, on n'allait pas loin, on n'en prenait pas le chemin !

— Jusqu'à maintenant, on n'a jamais manqué de rien, lui répliqua Liliana.

— Jusqu'à maintenant, c'est d'accord, dit Nino hors de lui. Mais tu sais très bien que ça ne peut pas continuer. Le propriétaire nous a augmenté le loyer d'un tiers. Tout augmente. Où est-ce que je prendrai l'argent si je transforme mon auberge en asile pour petits vieux gâteux ? Pourquoi avoir des égards pour les autres alors que personne n'en a pour moi ? »

La grosse Liliana semblait être à bout ; ses mains appuyées sur ses larges hanches, elle s'écria :

« Mon oncle Ettore est aussi un de ces petits vieux gâteux, comme tu les appelles. Et je ne te permettrai pas de dire du mal de ma famille. C'est un homme bon et honnête, même s'il n'a pas autant d'argent que tes gens convenables !

— Mais Ettore peut revenir ! dit Nino. Je lui ai dit qu'il pouvait rester s'il le voulait, mais il ne veut pas.

— Bien sûr qu'il ne veut pas — sans tous ses vieux amis. Qu'est-ce que tu t'imagines ? Qu'il va s'installer tout seul dans un coin ?

— Alors, je n'y peux rien ! hurla Nino. De toute façon, je n'ai pas l'intention de rester toute ma vie le petit patron d'un bistrot minable, juste par égard pour ton oncle Ettore. Est-ce que c'est un crime que je veuille, moi aussi, arriver à quelque chose ? Je veux que mon commerce marche, que mon établissement soit connu ! Et ce n'est pas que pour moi, mais tout autant pour toi et notre enfant ! Est-ce que tu ne peux pas comprendre cela, Liliana ?

— Non, dit Liliana, puisqu'il faut manquer de cœur pour y arriver, si c'est comme ça, ne compte pas sur moi. Dans ce cas, je m'en irai un beau jour, et toi, tu feras ce que tu voudras ! »

Pendant ce temps, le bébé avait recommencé à pleurer ; Liliana l'enleva des bras de Momo et quitta la cuisine.

Nino alluma une cigarette, la tourna entre ses doigts et ne dit rien. Momo le regardait.

« Après tout, c'étaient de braves types, finit par dire Nino. Je les aimais bien et je regrette moi-même que..., mais comment faire ? Les temps changent.

« Liliana a peut-être raison. Depuis que les vieux sont partis, mon auberge n'est pour moi plus la même. Elle manque de chaleur, tu comprends ? Je ne peux plus m'y voir. Je ne sais plus quoi faire. Mais tous agissent aujourd'hui comme ça. Est-ce que moi seul je devrais agir autrement ? Qu'en penses-tu ? Peut-être que je devrais... ? »

Imperceptiblement, Momo fit un signe de tête affirmatif.

Nino la regarda et fit pareil. Puis ils se sourirent.

« Quelle chance que tu sois venue ! dit Nino.

J'avais déjà oublié qu'avant, on disait toujours : "Va donc voir Momo !" quand quelqu'un n'arrivait pas à s'en sortir. Mais maintenant, je reviendrai, avec Liliana. Après-demain, c'est notre jour de repos, une bonne occasion. D'accord ?

— D'accord ! » répondit Momo.

Et elle rentra chez elle avec un sac plein de pommes et d'oranges que Nino lui avait donné.

Nino et sa grosse femme sont effectivement venus. Ils ont même amené le bébé et, de plus, un panier plein de bonnes choses.

Liliana était rayonnante :

« Imagine-toi, Momo, que Nino est allé voir mon oncle Ettore et tous les petits vieux pour s'excuser et leur demander de revenir.

— Oui, dit Nino, tout souriant, en se grattant l'oreille, ils sont tous revenus. Cela n'arrangera pas précisément mes affaires, mais, tant pis, puisque j'aime de nouveau mon travail. »

Il rit et sa femme lui dit :

« Tu verras, Nino, cela ne nous empêchera pas de vivre. »

L'après-midi fut bon et, en partant, ils promirent de revenir bientôt.

Ainsi, Momo alla voir tous ses anciens amis, les uns après les autres : le menuisier, qui lui avait fabriqué la petite table et la chaise, les femmes qui lui avaient apporté le lit, bref, tous ceux qu'elle avait écoutés dans le temps et qui en avaient bénéficié, en devenant plus lucides, plus affirmés et plus contents. Tous promettaient de revenir. Certains ne tenaient pas leur promesse ou n'en avaient pas la possibilité puisqu'ils n'avaient plus le temps. Mais la plupart des anciens revinrent et tout fut presque comme avant.

Momo ne se rendait cependant pas compte qu'elle contrecarrait ainsi les projets des messieurs en gris, ce qu'ils ne pouvaient tolérer sous aucun prétexte.

Peu de temps après — il faisait extrêmement chaud ce jour-là à midi —, Momo trouva une poupée sur les gradins de l'amphithéâtre.

Il était déjà arrivé que des enfants oublient l'un ou l'autre de ces jouets coûteux avec lesquels on ne pouvait pas vraiment jouer. Mais Momo ne se rappelait pas avoir déjà vu cette poupée, une poupée si particulière qu'elle n'aurait pu passer inaperçue. Elle était presque aussi grande que Momo et imitait si fidèlement la nature qu'il n'était pas impossible de la prendre pour un petit être humain. Elle ne ressemblait ni à un bébé, ni à un enfant plus âgé, mais plutôt à une jeune femme élégante, un mannequin de vitrine. Elle était vêtue d'une robe rouge assez courte et chaussée de sandales à lanières avec de hauts talons. Momo était fascinée. Lorsqu'elle osa enfin toucher la poupée, celle-ci ouvrit et ferma les yeux à plusieurs reprises, remua les lèvres et dit d'une voix éraillée qui paraissait sortir d'un téléphone :

« Bonjour. Je suis Bibigirl, la poupée parfaite. »

Effrayée, Momo recula, puis elle répondit machinalement :

« Bonjour, je m'appelle Momo. »

La poupée remua de nouveau les lèvres :

« Je t'appartiens. Tous t'envient, à cause de moi.

— Je ne crois pas que tu m'appartiennes, dit Momo. Je pense plutôt que c'est quelqu'un qui t'a oubliée ici. »

Elle souleva la poupée dont les lèvres remuèrent une fois de plus :

« Je veux avoir plus de choses encore.

— Ah ? répondit Momo qui se mit à réfléchir. Je ne sais pas si j'ai quelque chose qui pourrait t'aller. Mais attends, je vais chercher toutes mes affaires et tu pourras choisir ce qui te plaira ! »

La poupée dans ses bras, Momo descendit, passa par le trou dans le mur et entra dans sa chambre. Sous son lit, elle prit une boîte avec toutes sortes de trésors et la posa devant Bibigirl.

« Voilà tout ce que j'ai, dit-elle. Si quelque chose te plaît, tu n'as qu'à le dire. »

Et Momo lui montra une jolie plume d'oiseau multicolore, une belle pierre marbrée, un bonbon doré, un morceau de verre de couleur. La poupée ne dit rien, alors Momo lui donna un petit coup.

« Bonjour, coassa-t-elle. Je suis Bibigirl, la poupée parfaite.

— Oui, oui, dit Momo, je sais. Mais tu voulais choisir quelque chose, Bibigirl. Voilà, par exemple, un beau coquillage rose. Est-ce qu'il te plaît ?

— Je t'appartiens. Tous t'envient à cause de moi, répondit la poupée.

— Tu me l'as déjà dit, fit remarquer Momo.

Mais si tu n'aimes rien de mes affaires, nous pourrions jouer à quelque chose, non ?

— Je veux avoir plus de choses encore, répéta la poupée.

— C'est tout ce que j'ai », dit Momo.

Elle prit la poupée et regagna l'air libre. Elle assit la parfaite Bibigirl sur le sol et s'installa en face d'elle.

« Nous allons jouer à ce que toi, tu me rendrais visite, proposa Momo.

— Bonjour, dit la poupée. Je suis Bibigirl, la poupée parfaite.

— Comme vous êtes gentille de me rendre visite, dit Momo. D'où est-ce que vous venez, chère madame ?

— Je t'appartiens. Tous t'envient à cause de moi, continua Bibigirl.

— Oh, écoute ! Ça ne va pas !, expliqua Momo. Nous ne pouvons pas jouer si tu dis tout le temps la même chose !

— Je veux avoir plus de choses encore », répondit la poupée en papillotant des cils.

Momo essaya un autre jeu qui ne marcha pas non plus, puis encore un et encore un, mais rien ne réussit. Si seulement la poupée n'avait rien dit du tout, Momo aurait pu répondre à sa place, et rapidement la conversation aurait été sublime. Après un certain temps, Momo fut envahie d'un sentiment totalement inconnu et nouveau pour elle. Elle mit un bon moment à comprendre que c'était de l'ennui et se sentit absolument désarmée en face de cette situation. Elle aurait voulu abandonner la poupée parfaite dans un coin pour jouer toute seule, mais pour quelque raison mystérieuse, elle ne pouvait s'en séparer. Momo était assise face à la poupée et la regardait fixement. La poupée lui renvoya son regard de ses yeux bleus de verre — c'était comme si elles s'hypnotisaient mutuellement.

A la fin, Momo détourna volontairement son regard de la poupée — et reçut un petit choc. Tout près d'elle, une grosse voiture gris cendre était arrêtée dont elle n'avait pas remarqué l'arrivée. Un monsieur en gris des pieds à la tête (y compris son visage et son chapeau melon) était assis au fond de la voiture et fumait un petit cigare gris. Sans aucun doute, le monsieur observait Momo depuis pas mal de temps ; il lui sourit. Bien que la chaleur fût intenable ce jour-là, Momo commença à frissonner.

L'homme descendit de la voiture et s'approcha de Momo. Il avait à la main une serviette grise comme de la cendre.

« Tu en as une belle poupée ! dit-il d'une voix curieusement sourde. Tous tes camarades de jeu doivent en être jaloux. »

Sans rien dire, Momo haussa les épaules.

« Elle a dû coûter très cher, continua le monsieur en gris.

— Je ne sais pas, murmura Momo un peu gênée, je l'ai trouvée.

— Pas possible ? C'est que tu es une vraie petite veinarde ! » dit le monsieur en gris.

Momo ne répondit pas et s'enroula simplement

un peu plus dans sa trop grande veste d'homme. Le froid s'accentuait.

« Cela dit, je n'ai pas l'impression que cette poupée te fasse tellement plaisir, mon petit », dit le monsieur en gris avec un sourire faux.

Momo secoua la tête. Elle avait, tout à coup, l'impression que toute joie avait disparu de la terre pour toujours — ou plutôt que la joie n'avait jamais existé. Que tout n'avait été qu'illusion. Mais, simultanément, quelque chose au-dedans d'elle la mettait en garde contre un danger.

« Ça fait un bon moment que je t'observe, continua le monsieur en gris. On dirait que tu ne sais pas du tout comment on joue avec une poupée aussi parfaite. Est-ce que tu veux bien que je te le montre ? »

Surprise, Momo fit oui de la tête.

« Je veux avoir plus de choses encore, coassa la poupée tout d'un coup.

— Eh bien, tu vois, mon petit, dit le monsieur en gris, elle te dit bien elle-même ce qu'elle veut. Avec une poupée aussi parfaite, on ne peut pas jouer comme avec n'importe quelle autre, c'est l'évidence même. Il faut lui offrir quelque chose pour ne pas s'ennuyer avec elle. Attends, mon petit ! »

Il ouvrit le coffre à bagages de sa voiture.

« Pour commencer, elle a besoin de beaucoup de vêtements, dit-il. Voilà, par exemple, une ravissante robe du soir ! »

Il la sortit et la lança à Momo.

« Et voilà un manteau de fourrure en vison véritable, une robe de chambre en soie, et encore une robe de tennis, un costume de ski, un maillot de bain aussi et une culotte de cheval, un pyjama, une chemise de nuit, une autre robe et encore une et encore une et encore une... »

Toutes ces affaires furent entassées entre Momo et la poupée.

« Voilà ! dit-il avec son même sourire faux. Cela devrait suffire pour jouer pendant quelque temps, tu ne penses pas, mon petit ? Mais tu crains peut-être de t'ennuyer à nouveau après quelques jours. Eh bien, il faudra alors avoir encore davantage de choses pour ta poupée. »

Il replongea dans son coffre à bagages et lança des tas de choses à Momo.

« Tiens, voilà un vrai petit sac à main en peau de serpent, avec un vrai rouge à lèvres et un petit poudrier. Un petit appareil-photo. Une raquette de tennis. Une télévision pour poupées, mais qui fonctionne. Un bracelet, un collier, des boucles d'oreille, un revolver de poupée, des bas de soie, un chapeau à plumes, un chapeau de paille, un petit chapeau pour le printemps, une petite canne de golf, un petit chéquier, de petits flacons de parfum, des sels de bain, du spray pour le corps... »

Il s'arrêta et scruta Momo de son regard ; comme paralysée, elle était assise par terre, entourée de toutes ces choses.

« C'est simple, vois-tu ? reprit le monsieur en gris. Il faut avoir toujours plus, et encore plus, alors, on ne s'ennuie jamais. Mais tu penses peut-être que la Bibigirl parfaite aura, un jour, *tout* et que l'ennui recommencerait. Ne t'en fais pas, mon petit ! Nous avons tout prévu. Voilà un compagnon fait sur mesure pour Bibigirl. »

En disant cela, il sortit de son coffre une autre poupée, exactement de la taille de Bibigirl et aussi « parfaite » ; seulement, c'était un jeune homme. Le monsieur en gris l'assit à côté de Bibigirl, la poupée parfaite, et expliqua :

Lui, c'est Bubiboy ! Il possède, lui aussi, des accessoires à l'infini. Et lorsque tout cela n'aura plus d'attrait, il y aura encore l'amie de Bibigirl. Elle a un trousseau absolument personnel qui ne va qu'à elle. Et pour Bubiboy, il existe un ami assorti, lequel a d'autres amis et amies. Tu vois qu'il n'y aura plus jamais d'ennui, car la chaîne peut continuer à l'infini, et il restera toujours quelque chose dont tu pourras avoir envie ? »

Tout en parlant, il sortait une poupée après l'autre de son coffre qui semblait être inépuisable. Il les posa devant Momo, laquelle était toujours assise sans bouger, regardant l'homme d'un air terrifié.

Celui-ci fumait son petit cigare gris à grosses bouffées et s'adressa de nouveau à Momo :

« Est-ce que tu as compris maintenant comment il faut jouer avec une telle poupée ?

— Hum ! hum ! » fit Momo.

Elle commençait à trembler de froid.

Le monsieur en gris parut satisfait.

114

« Je suppose que tu aimerais bien garder toutes ces belles choses ? Eh bien, d'accord, mon petit. Je t'en fais cadeau. Tout cela sera à toi, pas tout à la fois, bien entendu, mais une chose après l'autre, et encore mille fois plus. Je ne te demande rien d'autre que de jouer avec tout cela, comme je te l'ai expliqué. Alors, qu'est-ce que tu dis maintenant ? »

Mais comme Momo ne disait rien, tout en regardant le monsieur en gris d'un air grave, celui-ci ajouta rapidement :

« Tu n'auras plus besoin de tes amis, comprends-tu ? Puisque toutes ces belles choses t'appartiennent et que tu en recevras encore davantage, tu ne manqueras pas de distractions, je pense. Et c'est bien ce que tu veux, non ? Tu la veux, cette poupée parfaite ? Tu la veux absolument, hein ? »

Momo sentait obscurément qu'elle aurait à livrer une bataille. Elle était même déjà en plein dedans. Mais elle ne savait ni pourquoi elle devait se battre, ni contre qui. Tout ce que son visiteur lui disait lui faisait le même effet que, tout à l'heure, la poupée : elle entendait une voix qui parlait, des mots, mais elle n'entendait pas la personne qui lui parlait. Elle secoua la tête.

« Comment ? Quoi ? dit le monsieur en gris en fronçant les sourcils. Tu n'es pas encore contente ? Les enfants d'aujourd'hui sont vraiment trop exigeants ! Voudrais-tu me dire ce qui manque à cette poupée parfaite ? »

Momo baissa les yeux et réfléchit :

« Je crois qu'on ne peut pas l'aimer », dit-elle d'une voix presque inaudible.

Pendant assez longtemps, le monsieur en gris ne dit rien et, avec un regard vitreux comme celui des poupées, il regarda fixement devant lui. Finalement, il dit d'un ton glacial :

« Ce n'est pas ce qui compte. »

Momo chercha son regard. Cet homme lui faisait peur, surtout à cause du froid qui émanait de lui. Mais, d'une certaine façon, elle avait aussi pitié de lui, sans pouvoir expliquer pourquoi.

« Mes amis, je les aime, dit-elle.

Le monsieur en gris fit une grimace comme s'il avait mal aux dents. Mais il se ressaisit aussitôt, se força à sourire et dit d'une voix suave :

« Je pense, mon petit, qu'une discussion sérieuse entre nous s'impose pour que tu comprennes ce qui est important dans la vie. »

Il feuilleta son petit agenda gris comme s'il cherchait quelque chose.

« Tu t'appelles Momo, n'est-ce pas ? »

Momo fit un signe affirmatif de la tête.

Avec quelque difficulté, le monsieur en gris s'assit par terre à côté de Momo. Il fumait son petit cigare gris et semblait être plongé dans ses pensées. Finalement, il dit :

« Maintenant, Momo, écoute-moi bien. »

C'était justement ce que Momo avait essayé de faire pendant tout ce temps. Avec les autres, cela n'avait jamais été difficile. Elle arrivait à se confondre avec eux, à comprendre ce qu'ils voulaient dire et ce qu'ils étaient vraiment. Mais avec ce visiteur, elle en était parfaitement incapable. A chaque tentative, il lui semblait être précipitée dans un trou noir, dans le vide. Cela ne lui était encore jamais arrivé.

« La seule chose qui compte dans la vie, reprit l'homme, c'est d'arriver à quelque chose, d'être quelqu'un, de posséder beaucoup. A celui qui est plus que les autres, qui possède plus que les autres, tout le reste vient sans effort : l'amitié, l'amour, l'honneur, etc. Tu crois que tu aimes tes amis. Voyons un peu ce qu'il en est dans la réalité. »

Avec la fumée de son cigare, le monsieur en gris faisait des ronds dans l'air. Momo cacha ses pieds nus sous sa jupe et se tapit, autant que possible, dans sa grande veste.

Le monsieur en gris recommença :

« La première question que l'on peut se poser est : en quoi cela peut intéresser tes amis que tu existes. Est-ce que cela leur est utile à quelque chose ? Non. Est-ce que cela les aide à avancer, à gagner plus, à faire quelque chose de leur vie ? Certainement pas. Est-ce que tu les soutiens dans leur désir d'économiser du temps ? Tout au contraire, tu les en empêches, tu es comme un boulet à leurs pieds, tu sabotes leur avancement. Tu ne t'en étais peut-être pas rendu compte jusqu'à maintenant, Momo, le simple fait que tu existes fait du mal à tes amis. Sans que tu le veuilles, tu es, en réalité, leur ennemie. Et c'est ce que tu appelles aimer quelqu'un ? »

Momo ne savait quoi répondre. Elle n'avait jamais considéré les choses de ce point de vue. Pendant un instant, elle se demanda même si le monsieur en gris n'avait pas raison.

« Et c'est pourquoi, continua celui-ci, nous avons l'intention de protéger tes amis de toi. Si tu les aimes vraiment, tu nous y aideras. Nous voulons qu'ils arrivent à quelque chose dans la vie. Ce sont nous, leurs vrais amis. Nous ne pouvons pas tolérer passivement que tu les empêches de faire tout ce qui est important pour eux. Ce sera à nous d'obtenir que tu ne les déranges plus. C'est dans ce but que nous te faisons cadeau de toutes ces belles choses.

— Qui c'est, nous ? demanda Momo d'une voix tremblotante.

— Nous, de la Caisse d'épargne du temps, répondit le monsieur en gris. Je suis l'agent BLW/553/c. Personnellement, je ne te veux que du bien, car la Caisse d'épargne du temps ne comprend pas la plaisanterie. »

A cet instant, Momo se souvint subitement de ce que Beppo et Gigi avaient dit à propos de l'épargne du temps et de la contagion. Elle eut l'idée terrible que ce monsieur en gris pourrait bien avoir quelque chose à faire avec tout cela. Si seulement Beppo et Gigi étaient là. Encore jamais, elle ne s'était sentie aussi seule. Mais elle décida de ne pas se laisser intimider. Elle rassembla tout son courage et se précipita dans le trou noir, dans le vide derrière lesquels le monsieur en gris se cachait d'elle.

L'homme n'avait pas cessé d'observer Momo. Il

avait bien remarqué le changement d'expression de son visage. Il alluma un nouveau cigare gris à son mégot et afficha un sourire ironique.

« Ne te fatigue pas, dit-il, tu ne pourras pas rivaliser avec nous. »

Momo ne céda pas.

« Est-ce que vraiment personne ne t'aime ? » murmura-t-elle.

Comme sous l'effet de la douleur, le monsieur en gris se tordit et se tassa un peu sur lui-même.

« J'avoue que je n'ai jamais rencontré quelqu'un comme toi, vraiment jamais ! dit-il de sa voix sourde. S'il existait davantage de gens de ton espèce, la Caisse d'épargne du temps n'aurait plus qu'à fermer ses portes, et nous-mêmes serions réduits à néant, car qu'est-ce qui nous ferait vivre ? »

L'agent s'arrêta. Il fixa Momo et semblait lutter contre quelque chose d'incompréhensible qu'il n'arrivait pas à maîtriser. La couleur de son visage était devenue d'un gris plus sinistre encore.

Lorsqu'il reprit la parole, c'était comme si cela se passait malgré lui, comme si les mots sortaient de lui sans son contrôle, comme s'il ne pouvait s'en empêcher. L'horreur de ce qui se passait en lui s'exprimait sur son visage grimaçant. Enfin, Momo entendait la véritable voix de cet homme, une voix qui semblait venir de loin :

« Il ne faut pas que l'on nous connaisse. Personne ne doit savoir que nous existons et ce que nous faisons... Nous faisons en sorte que personne ne puisse se souvenir de nous... Tant que nous restons

dans l'ombre, nous pouvons vaquer à nos affaires...
C'est un travail accablant que de soutirer aux
hommes leur temps de vie au compte-gouttes, c'est-
à-dire par heures, par minutes, par secondes..., car
tout ce qu'ils économisent comme temps est perdu
pour eux... Nous nous en emparons... Nous le
stockons... Nous en avons besoin... Nous en sommes
affamés... Ah ! Vous ne savez pas ce que c'est que
votre temps !... Mais nous, nous le savons, et nous
le suçons jusqu'à la moelle... Et nous avons besoin
de temps..., de toujours plus de temps..., parce que
nous aussi, nous devenons de plus en plus nombreux..., de plus en plus..., de plus en plus... »

Ces derniers mots ressemblaient à un râle. Ses
yeux exorbités dirigés sur Momo, le monsieur en
gris se ferma la bouche de ses mains. Après un
moment, il parut sortir d'une anesthésie.

« Qu'est-ce qui s'est passé ? balbutia-t-il. Tu m'as
espionné, tu m'as tiré les vers du nez ! Je suis
malade ! Tu m'as rendu malade, toi ! » Et puis,
changeant de ton, il ajouta : « Je n'ai dit que des
bêtises, ma chère enfant ! Oublie tout cela ! Tu dois
m'oublier comme tous les autres nous oublient ! Tu
le dois absolument ! »

Il empoigna Momo par les épaules et la secoua.
Elle remua les lèvres mais ne put rien dire.

Alors, le monsieur en gris se leva d'un bond,
regarda rapidement autour de lui, saisit sa serviette
grise et se précipita vers sa voiture. Il se produisit
alors quelque chose de tout à fait étonnant, comme
une sorte d'explosion à l'envers : toutes les poupées

et les objets éparpillés reprirent au vol le chemin du coffre à bagages qui se referma à grand bruit. Puis la voiture démarra en trombe.

Pendant longtemps, Momo ne bougea pas de sa place, cherchant à comprendre ce à quoi elle venait d'assister. Petit à petit, ses membres se réchauffèrent et, simultanément, les choses lui devinrent plus intelligibles. Elle n'oublia rien, car elle avait entendu la vraie voix d'un monsieur en gris.

Dans l'herbe sèche, devant elle, s'élevait une petite fumée. Elle provenait du mégot écrasé, du petit cigare gris, qui se transformait lentement en cendres.

8

Beaucoup de rêves
et quelques scrupules

Gigi et Beppo arrivèrent à la fin de ce même après-midi. Ils trouvèrent Momo assise à l'ombre du mur. Elle était encore un peu pâle et bouleversée. Ils s'inquiétèrent de ce qui lui était arrivé. Mot à mot, elle leur répéta toute la conversation qu'elle avaie eue avec le monsieur en gris. Pendant qu'elle parlait, Beppo prit un air très sérieux et ne dit rien. Gigi, par contre, écouta avec de plus en plus d'excitation. Ses yeux se mirent à briller comme lorsqu'il se laissait prendre à ses propres histoires. Posant la main sur l'épaule de son amie, il dit :

« Momo ! Le moment est venu ! Tu as découvert ce que personne ne savait jusqu'ici. Nous ne sauverons pas seulement nos anciens amis, non ! Nous sauverons toute la ville ! Nous trois : moi, Beppo et toi, Momo ! »

Il bondit sur ses pieds en levant ses deux bras en l'air, comme un libérateur face à la foule qui l'acclame, car c'est ainsi qu'il se voyait déjà en imagination.

« D'accord, dit Momo, toujours un peu troublée, mais comment allons-nous faire ?

— Qu'est-ce que tu veux dire par là ? demanda Gigi d'un ton irrité.

— Je veux dire, expliqua Momo, que je me demande comment on fera pour vaincre les messieurs en gris.

— Bien sûr, dit Gigi, je n'en ai pas encore une idée bien précise. Il faudra y réfléchir. Mais une chose est certaine : puisque nous savons maintenant qu'ils existent et que nous sommes au courant de leurs agissements, il faut les combattre. Aurais-tu peur, par hasard ?

— Oui, dit Momo, un peu gênée. J'avoue que j'ai peur. Je ne pense pas que ce soient des hommes ordinaires. Celui qui est venu me voir avait un air bizarre. Et ce froid terrible ! S'ils sont très nombreux, il sont certainement très dangereux !

— Mais non ! s'écria Gigi, plein d'enthousiasme. C'est très simple ! Ces messieurs en gris ne peuvent poursuivre leurs affaires obscures qu'à la condition de ne pas être reconnus, c'est le secret que t'a confié ton visiteur en personne. Il nous faut donc trouver un moyen qui nous permettra de les reconnaître, car celui qui les a reconnus une fois les garde dans sa mémoire et les reconnaîtra donc à chaque occasion. C'est pourquoi les messieurs en gris ne peuvent rien contre nous ; nous sommes inattaquables !

— Tu crois ? demanda Momo.

— C'est évident ! continua Gigi, les yeux brillants d'enthousiasme. Sinon, ton visiteur n'aurait pas pris la fuite avec cette précipitation. Nous, on leur fait terriblement peur !

— Mais alors, ils se cacheront peut-être et nous ne les retrouverons pas, dit Momo.

— C'est possible, reconnut Gigi. Il nous faudra alors les faire sortir de leur cachette.

— Et comment ? demanda Momo. Je les crois extrêmement malins. »

Gigi garda son optimisme et s'écria en riant :

« Rien de plus facile ! Nous les battrons avec leurs propres armes ! C'est avec du lard qu'on attrape les souris, c'est donc avec le temps qu'on attrapera les voleurs de temps. Nous en avons tellement ! Toi, par exemple, tu devrais t'asseoir quelque part pour les appâter. Lorsqu'ils arriveront, Beppo et moi, nous sortirons brusquement de notre cachette et nous les abattrons.

— Mais moi, ils me connaissent, objecta Momo, je ne pense pas qu'ils s'y laisseront prendre ! »

Dans la tête de Gigi, une idée chassait l'autre.

« Bon, dit-il, alors, nous ferons autre chose. La Caisse d'épargne du temps, dont a parlé le monsieur en gris, doit certainement être en ville, dans un bâtiment quelconque. Ce qu'il faut, c'est le trouver. Comme je suis certain qu'il ne peut s'agir que d'un bâtiment très particulier, c'est-à-dire gris, sans fenêtres, étrange et inquiétant, bref, un coffre-fort géant en béton, nous finirons bien par le trouver. Quand nous l'aurons trouvé, nous y entrerons ;

chacun de nous sera armé de deux gros revolvers, un dans chaque main, et, les revolvers braqués sur eux, je dirai : "Rendez-nous immédiatement tout le temps que vous avez volé !"

— Mais nous n'avons pas de revolvers, objecta encore Momo.

— Alors, on se débrouillera sans ! crâna Gigi. Cela les effrayera d'ailleurs bien plus. Notre apparition, à elle seule, suffira pour déclencher chez eux une véritable panique !

— Ce serait peut-être mieux si nous étions plus que juste nous trois ! dit Momo. Si d'autres cherchaient avec nous, ce serait peut-être plus facile de trouver la Caisse d'épargne du temps.

— Excellente idée ! répondit Gigi. Nous devrions mobiliser tous nos anciens amis et tous les enfants qui viennent ces temps-ci. Je propose que nous nous mettions tout de suite en route tous les trois ; chacun informera le plus de gens possible, qui, à leur tour, seront chargés de le répéter à d'autres. Demain après-midi, à trois heures, nous nous retrouverons ici pour tenir un grand conseil de guerre ! »

Ils partirent aussitôt, Momo dans une direction, Beppo et Gigi dans une autre.

Les deux hommes avaient déjà fait un bon bout de chemin, quand Beppo s'arrêta et dit :

« Écoute, Gigi, je me fais du souci. Je crois que tout ce que Momo nous a raconté est vrai.

— Et alors ? demanda Gigi qui ne comprenait pas où Beppo voulait en venir.

— Si c'est vrai, expliqua Beppo, c'est-à-dire, s'il s'agit réellement d'un clan secret de gangsters, il faudra être prudent et ne pas faire n'importe quoi, tu comprends ? Si nous les provoquons purement et simplement, nous risquerions de mettre Momo dans une situation très difficile. Et tous ces enfants qui participeront à nos recherches, ils courront peut-être tous un danger. Il faut vraiment bien réfléchir à ce que nous allons faire.

— Mais non ! dit Gigi en riant. Tu t'en fais toujours trop ! Plus on sera, mieux ça vaudra ! »

Beppo restait soucieux :

« Tu ne sembles pas croire que l'histoire de Momo soit vraie !

— Être vrai, qu'est-ce que ça veut dire ? répliqua Gigi. Tu n'as pas d'imagination, Beppo. Tout ce qui se passe dans le monde, c'est comme une grande histoire dont nous sommes les acteurs. Si, si, Beppo, je crois tout ce que Momo nous a raconté, exactement comme toi ! »

Beppo ne sut plus que dire mais continua à se faire du souci.

Pour prévenir les amis et les enfants de la réunion du lendemain, les deux hommes partirent dans des directions différentes, Gigi, le cœur léger, Beppo, le cœur lourd.

Cette nuit-là, Gigi rêva de gloire future. Il se voyait libérateur de sa ville, en habit, entouré de Beppo en queue-de-pie et de Momo qui portait une robe de soie blanche. On avait mis des couronnes de laurier sur leurs têtes et des colliers autour de leurs cous. En leur honneur, la ville avait organisé une somptueuse retraite aux flambeaux accompagnée d'une musique grandiose.

Pendant ce même temps, le vieux Beppo, lui, n'arrivait pas à trouver le sommeil. Plus il réfléchissait, plus il était convaincu du danger que représentait la mise à exécution de leur projet. Bien entendu, jamais il ne laisserait tomber Gigi et Momo, il les suivrait, quoi qu'il advienne. Mais il fallait au moins essayer de les mettre en garde.

Le lendemain après-midi, à trois heures, l'amphithéâtre retentissait de cris et d'excitation. Les anciens amis, les adultes, n'étaient, hélas ! pas venus (à l'exception de Beppo et de Gigi, bien entendu). Mais il y avait au moins cinquante à soixante enfants d'un peu partout, des pauvres et des riches, des bien élevés et d'autres qui l'étaient moins, des plus grands et des plus petits. Certains avaient, comme Maria, amené un petit frère ou une petite sœur qui observaient, ahuris, ce rassemblement inhabituel. Franco, Paolo et Massimo avaient, bien sûr, répondu à l'appel, et il y avait aussi les enfants qui ne venaient que depuis peu de temps chez Momo. Ils se sentaient tout particulièrement concernés par l'affaire en question. Le petit garçon au transistor était venu, lui aussi, mais sans son transistor. Il s'était assis à côté de Momo ; il lui avait dit qu'il s'appelait Claudio et qu'il était content de pouvoir participer à ce qui se passait. Estimant improbable l'arrivée d'autres manifestants, Gigi se leva, d'un geste imposant réclama le silence et commença son discours d'un retentissant :

« Chers amis, nous vous avons conviés à ce rassemblement secret pour vous mettre au courant de ce qui se passe actuellement. Nous avons constaté que de plus en plus de gens avaient de moins en moins de temps, bien que tous les moyens soient mis en œuvre pour économiser du temps. C'est justement ce temps économisé qui est perdu pour les gens, et pourquoi ? Grâce à Momo, nous savons qu'un gang de voleurs de temps dérobe, littéralement, ce temps aux hommes. Et nous aurons besoin de toute votre aide pour mettre fin aux activités de cette bande de criminels. Si nous nous y mettons tous ensemble, les hommes pourront être délivrés de ce cauchemar d'un seul coup. Ne pensez-vous pas que c'est là une bataille qui vaut la peine d'être livrée ? »

Il s'arrêta un moment et les enfants applaudirent. Puis il reprit son discours :

« Tout à l'heure, nous discuterons tous ensemble de ce que nous allons faire. Momo vous racontera maintenant sa rencontre avec l'un de ces gangsters et comment celui-ci a fini par se trahir.

— Écoutez, les enfants ! dit le vieux Beppo en se levant. Je m'oppose à ce que Momo parle ! Ce n'est pas possible. Si elle parle, elle se met elle-même ainsi que vous tous en très grand danger.

— Si, si ! s'écrièrent quelques enfants, Momo doit parler ! »

128

D'autres se joignirent à eux et finalement, ils répétèrent tous en chœur :

« Momo ! Momo ! Momo ! »

Le vieux Beppo reprit sa place, enleva ses lunettes et, visiblement fatigué, se frotta les yeux.

Embarrassée, Momo se leva. Elle ne savait qui écouter : Beppo ou les enfants. Au bout d'un moment, elle se décida à parler. Les enfants étaient tout oreilles. Un long silence suivit son récit. Tous avaient eu un peu froid dans le dos pendant que Momo parlait. Ils n'avaient pas imaginé que ces voleurs de temps étaient des personnages aussi inquiétants.

Gigi rompit le silence :

« Alors ? Lequel d'entre vous a le courage d'entreprendre, avec nous, la lutte contre les messieurs en gris ?

— Pourquoi est-ce que Beppo ne voulait pas que Momo nous raconte son expérience ? demanda Franco.

— C'est parce qu'il pense, expliqua Gigi avec un sourire encourageant, que les messieurs en gris considèrent comme dangereuse toute personne connaissant leur secret et, par conséquent, commenceront à la persécuter. Mais moi, je suis sûr que ce sera juste le contraire : toute personne connaissant leur secret sera, pour ainsi dire, immunisée contre les messieurs gris, de sorte qu'ils ne pourront plus rien contre elle. C'est évident. Reconnais-le, Beppo ! »

Mais Beppo n'était pas convaincu et il hocha la tête.

Les enfants ne disaient rien.

Gigi reprit la parole :

« Ce qui est certain, c'est qu'à partir de maintenant, nous sommes unis pour le meilleur et pour le pire. Nous devons être prudents sans pour autant nous laisser intimider. Je vous demande donc encore une fois : qui d'entre vous veut être des nôtres ?

— Moi ! » dit Claudio en se levant. Il était un peu pâle.

Son exemple fut d'abord suivi avec hésitation, mais, petit à petit, toute l'assistance répondit à l'appel.

Gigi désigna les enfants et demanda à Beppo ce qu'il en pensait.

« Bien, bien, répondit celui-ci un peu tristement. Je ne vous laisserai pas tomber, moi non plus, cela va de soi. »

Gigi s'adressa de nouveau aux enfants :

« Voyons maintenant comment nous allons procéder. Qui est-ce qui a une proposition à faire ? »

Tous se mirent à réfléchir.

« Mais comment est-ce possible, finit par demander Paolo, le garçon aux lunettes. Je veux dire : comment est-ce qu'on peut réellement voler du temps, je ne comprends pas.

— D'ailleurs, qu'est-ce que c'est que le temps ? » dit Claudio.

Personne ne sut répondre à cette question.

Maria, son petit frère Dédé dans les bras, se leva et dit :

« Est-ce que ce serait quelque chose comme les atomes ? Avec une machine, on arrive à écrire les pensées qui sont dans la tête de quelqu'un. Je l'ai vu moi-même à la télévision. De nos jours, il y a des spécialistes pour tout.

— J'ai une idée ! s'écria le gros Massimo de sa voix de fausset. Quand on tourne un film, toutes les images se trouvent sur la pellicule. Lorsqu'on enregistre quelque chose sur une bande magnétique, tous les sons sont imprimés sur la bande. Ils ont peut-être, eux aussi, un appareil qui leur permet d'enregistrer le temps. Si nous savions sur quelle bande se trouve cet enregistrement, nous pourrions l'effacer et récupérer le temps. »

Paolo ajusta ses lunettes :

« Pour commencer, il faudrait trouver un homme de science pour nous aider, dit-il. Sans cela, nous ne pourrons rien faire du tout. »

Franco n'était pas d'accord :

« Toi et tes hommes de science ! A mon avis, on ne peut absolument pas leur faire confiance ! Suppose que nous en trouvions un qui s'y connaisse, comment être sûr qu'il ne collabore pas avec les voleurs de temps ? On serait alors dans de beaux draps ! »

Cette objection fut approuvée.

Puis une fille se leva qui avait, sans aucun doute, reçu une excellente éducation :

« Le mieux serait, je crois, d'avertir la police de toute cette histoire.

— Et quoi encore ! protesta Franco. Qu'est-ce

qu'elle pourra faire, la police ! Nous ne sommes pas en présence de voleurs ordinaires ! Ou bien la police est au courant depuis longtemps, et nous avons la preuve que cela n'a servi à rien, ou bien elle ne s'est encore aperçue de rien d'anormal et, dans ce cas, ne sera d'aucune utilité. Voilà ce que je pense ! »

Un long silence exprima le désarroi de l'assistance.

« Il faudra bien que nous fassions quelque chose, finit par dire Paolo, et il faudra agir vite, avant que les gangsters ne découvrent notre complot ! »

Sur ce, Gigi se leva et dit :

« Chers amis, j'ai beaucoup réfléchi à l'affaire qui nous occupe. J'ai élaboré et rejeté des centaines de projets avant de retenir celui qui nous permettra d'atteindre notre but avec certitude. Toujours à condition que vous soyez des nôtres ! Je voulais quand même m'assurer qu'aucun d'entre vous ne proposerait un plan de bataille supérieur au mien. Je vous dirai donc maintenant ce que nous allons faire. »

Il marqua un temps d'arrêt. Une bonne cinquantaine d'enfants le regardaient, un auditoire comme il n'en avait plus eu depuis longtemps.

Gigi continua :

« Vous savez maintenant que le pouvoir des messieurs en gris ne peut s'exercer que s'ils ne sont pas reconnus et que s'ils peuvent travailler en secret. Le moyen à la fois le plus simple et le plus efficace de les mettre hors d'état de nuire est donc de faire connaître aux gens la vérité sur eux. Comment y parviendrons-nous ? Nous allons organiser une grande manifestation d'enfants. Nous allons peindre des affiches et des pancartes que nous porterons en défilant dans toute la ville. Nous attirerons ainsi l'attention de l'opinion publique sur nous. Nous inviterons toute la ville ici, chez nous, dans notre amphithéâtre, pour mettre les gens au courant de ce qui se passe. Nous provoquerons une agitation extraordinaire ! Les gens viendront par milliers ! Et lorsque cette foule immense sera rassemblée ici, nous dévoilerons ce secret terrifiant. Alors, eh bien alors, le monde se transformera d'un coup, d'un seul. Personne ne volera plus de temps à personne. Chacun en aura autant qu'il voudra puisqu'il y en aura de nouveau assez pour tout le monde. Cette victoire, nous pourrons l'obtenir tous ensemble, mes amis, à condition de la vouloir. Est-ce que nous la voulons ? »

La réponse fut un cri d'allégresse général.

« Je constate donc, dit Gigi en terminant son discours, que nous avons décidé d'un commun accord d'inviter toute la ville dimanche prochain à l'amphithéâtre. Jusque-là, nous devons garder le secret le plus absolu au sujet de nos plans, c'est compris ? Et maintenant, chers amis, au travail ! »

A partir de là et les jours suivants, une activité intense mais secrète se déploya dans les ruines. Les enfants apportèrent du papier, des pots pleins de couleurs, des pinceaux, de la colle, des planches, de grands cartons, tout ce qui était nécessaire à la réalisation de leur projet.

Pendant que les uns fabriquaient des affiches et des pancartes, les autres réfléchissaient aux slogans percutants qu'ils y inscriraient, par exemple :

ÉCONOMISER DU TAMPS ?
MAIS POUR QOI ?

PARANTS, ÉCOUTEZ
VOS ANFANT

QUELQUN VOUS VOLE
DU TAMPS

VENEZ TOUS
A LAMFITHÉATRE
DIMANCHE SVP

ATTENSION :
TRÈS IMPORTANT !
IL S'AGIT DE VOTRE TAMPS
UN GRAND SECRET !
NOUS VOUS LE DIRONT !

TOUS A NOTRE RASSEMBLEMENT
POUR SAUVER CE QUI NOUS RESTE DE TAMPS

Partout, le lieu et la date du rassemblement étaient indiqués. Quand tout fut prêt, les enfants se mirent en rangs, Gigi, Beppo et Momo en tête, et, portant affiches et pancartes, ils se dirigèrent vers la ville. En guise de musique, des couvercles en tôle et de petits sifflets ! Ils scandaient en chœur les slogans et chantaient la chanson composée par Gigi pour la circonstance :

« Venez, bonnes gens, que l'on vous dise
L'horreur de l'entreprise grise !
Réveillez-vous, restez vigilants,
On veut vous voler votre temps !

Venez, bonnes gens, qu'on vous raconte
Que tout cela est grande honte !
Venez à trois heures, ce dimanche
Pour être libres, tel l'oiseau sur la branche ! »

Cette chanson comptait en tout vingt-huit couplets, mais nous ne croyons pas utile de les transcrire tous ici. La police intervint à plusieurs reprises pour séparer les enfants quand ils bloquaient la circulation. Mais cela ne les décourageait nullement. Ils se rassemblaient ailleurs et recommençaient. En dehors de quelques incidents, il ne se passa rien de particulier, et malgré toute l'attention qu'ils déployaient, ils n'arrivèrent pas à découvrir les messieurs en gris. Beaucoup d'autres enfants, mis au courant de l'affaire par les manifestants, se joignirent au cortège. A la fin, ils étaient mille. Ils traversaient la ville en tous sens pour inviter les adultes à cet important rassemblement qui devait changer le monde.

9

Une bonne réunion
qui n'a pas lieu
et une mauvaise réunion qui,
elle, a lieu

L'heure H était passée, et aucun des invités n'était venu. Ceux des adultes qui auraient dû se sentir le plus concernés ne s'étaient pas intéressés à la manifestation.

Tout avait été fait en vain.

Grand et rouge, le soleil se couchait déjà dans une mer de nuages. Ses derniers rayons frôlaient encore les gradins supérieurs de l'amphithéâtre sur lesquels des centaines d'enfants étaient assis, attendant depuis des heures. Le brouhaha des voix joyeuses avait fait place au silence et à la tristesse. Les ombres s'allongèrent rapidement, annonçant l'obscurité de la nuit. Dans le lointain, on entendit sonner huit heures. Il n'y avait plus aucun doute possible : le projet avait totalement échoué. Les enfants commençaient à avoir froid ; certains d'entre eux se levèrent pour rentrer en silence, d'autres les suivirent. Personne ne disait mot. La déception était trop grande. Finalement, Paolo s'approcha de Momo et lui dit :

« Ça n'a aucun sens d'attendre. Maintenant, personne ne viendra plus. Bonne nuit, Momo. »

Et il partit.

Ensuite, vint Franco :

« Il n'y a rien à faire, dit-il, ce n'est plus la peine de compter sur les adultes ! La preuve ! Je me suis toujours méfié d'eux mais, à partir d'aujourd'hui, je ne veux plus jamais avoir affaire à eux. »

Lui aussi s'en alla, et lorsque la nuit fut complètement tombée, Momo se retrouva seule avec Beppo et Gigi.

Après un moment, Beppo se leva.

« Tu t'en vas, toi aussi ? lui demanda Momo.

— Il le faut, répondit Beppo, c'est mon jour de service spécial.

— De nuit ?

— Oui, exceptionnellement, j'ai été affecté à la décharge des ordures. Il faut que j'y aille.

— Mais c'est dimanche aujourd'hui ! Et, de toute façon, on ne t'a jamais demandé de faire ce travail !

— Non, mais maintenant, ils en ont décidé autrement, exceptionnellement, disent-ils. Ils prétendent ne pas y arriver autrement. Manque de personnel, etc. !

— Dommage, dit Momo, j'aurais été contente si tu étais resté ce soir avec nous.

— Oui, je sais, dit Beppo. Ça ne me plaît pas du tout d'être obligé de m'en aller juste maintenant.

137

— Donc au revoir et à demain », dit Momo.

Hissé sur son vélo grinçant, Beppo disparut dans l'obscurité.

Tout doucement, Gigi se mit à siffler une petite mélodie mélancolique. Momo aimait l'entendre siffler. Mais il s'arrêta tout d'un coup.

« Moi aussi, je dois partir ! dit-il. Aujourd'hui, c'est dimanche, et je dois jouer au gardien de nuit ! J'ai failli oublier de te raconter que c'est ma nouvelle profession ! »

Momo le regarda sans rien dire.

« Il ne faut pas que tu sois triste que notre plan n'ait pas réussi comme nous l'espérions. J'avais, moi aussi, imaginé autre chose. Mais enfin, nous avons quand même eu du plaisir ! C'était extraordinaire ! »

Momo ne disant toujours rien, il lui caressa les cheveux en disant :

« Tu ne devrais pas prendre tout cela au tragique, Momo. Demain, on avisera. Nous inventerons tout simplement quelque chose d'autre, une nouvelle histoire ! D'accord ?

— Ce n'était pas qu'une histoire », murmura Momo.

Gigi se leva :

« Oui, oui, je comprends, mais nous en parlerons demain, hein ? Il faut que je parte ! Je suis déjà en retard ! Tu devrais aller te coucher maintenant. »

Et il s'en alla, tout en sifflant sa petite mélodie mélancolique.

Ainsi, Momo se retrouva toute seule dans le

grand amphithéâtre. La nuit était sans étoiles, le ciel couvert de gros nuages. Un vent étrange s'était levé, pas fort, mais froid, d'un froid inhabituel, un vent pour ainsi dire gris cendre.

Loin, au-delà de la ville, s'élevaient d'énormes décharges d'ordures, de véritables montagnes de cendres, de débris de verre, de boîtes de conserve, de vieux matelas, d'objets usagés en plastique, de cartons, de toutes les choses que l'on jette chaque jour dans une grande ville et qui attendent d'être absorbées par les immenses fours à combustion. Jusqu'à une heure très avancée de la nuit, Beppo et ses collègues déchargèrent les nombreux camions pleins d'ordures dont les phares allumés éclairaient le lieu du travail.

« Dépêchez-vous, mes braves ! Vite ! Vite ! Sinon, on n'en finira jamais ! » criait-on sans cesse à l'adresse des ouvriers.

Beppo avait rempli et rerempli sa pelle si vite et tant de fois que sa chemise finit par lui coller à la peau. Enfin, vers minuit, tout fut terminé.

Beppo, qui était déjà vieux et pas tellement costaud, trouva quelque chose pour s'asseoir et reprendre sa respiration.

L'un de ses collègues l'interpella :

« Hé, Beppo, nous rentrons. Est-ce que tu viens avec nous ?

— Un instant, dit Beppo en posant une main sur son cœur qui lui faisait mal.

« — Tu ne te sens pas bien, mon vieux ? lui demanda un autre de ses collègues.

— Si, si, ça va, répondit Beppo. Vous n'avez qu'à partir. Je vais me reposer encore un peu.

— Alors, bonne nuit ! » crièrent tous les autres en partant.

A l'exception des rats qui glissaient rapidement avec un bruit léger, le silence s'installa autour de Beppo qui s'endormit, la tête appuyée sur ses bras.

Il ignorait combien de temps il était resté endormi lorsqu'il fut réveillé par un coup de vent glacial. Aussitôt, il se réveilla tout à fait et regarda autour de lui.

La gigantesque montagne d'ordures était couverte de messieurs en gris, vêtus de costumes élégants, coiffés de chapeaux melon et munis de serviettes de cuir gris de plomb. Tous fumaient de petits cigares gris. Absolument silencieux, ils avaient les yeux fixés sur le point le plus élevé de la montagne d'ordures où avait été installé une sorte de tribunal. Là, trois hommes étaient assis qui, par ailleurs, ne se distinguaient des autres en rien.

D'abord, Beppo eut peur. Il craignait d'être découvert ; il était évident qu'il n'avait nullement le droit de se trouver là. Mais il s'aperçut vite que les messieurs en gris étaient comme hypnotisés par les trois hommes du tribunal. Il avait des chances de passer inaperçu ou d'être pris pour une des choses jetées au rebut. Beppo décida, en tout cas, de ne pas broncher.

« Que l'agent BLW/553/c se présente devant le

tribunal ! » s'écria d'une voix retentissante l'homme qui siégeait au centre.

Cet appel fut répété vers le bas de la montagne et renvoyé en écho. Puis les hommes s'écartèrent pour laisser monter un monsieur en gris au sommet de la décharge. Seule la couleur presque blanche de son visage le distinguait des autres. Enfin, il se trouva devant le tribunal.

« Êtes-vous l'agent BLW/553/c ? lui demanda l'homme qui était au centre.

— Oui.

— Depuis quand travaillez-vous pour la Caisse d'épargne du temps ?

— Depuis que j'existe.

— Bien entendu. Passez-vous, je vous prie, de ce genre de remarques superflues. Depuis quand existez-vous ?

— Depuis onze ans, trois mois, six jours, huit heures, trente-deux minutes et — à cet instant même — dix-huit secondes. »

Bien que cette conversation se passât à voix basse et que les interlocuteurs fussent très éloignés de lui, Beppo n'eut aucun mal à comprendre chaque mot.

L'homme qui siégeait au centre continua son interrogatoire :

« Êtes-vous au courant du fait qu'aujourd'hui même, un nombre considérable d'enfants ont organisé dans cette ville une manifestation ? Ils portaient des affiches et des pancartes et avaient conçu le projet extravagant de rassembler chez eux tous les habitants de la ville pour leur communiquer des renseignements sur nous.

— Je suis au courant », répondit l'agent.

L'impitoyable juge continua :

« Comment pouvez-vous expliquer que ces enfants sachent quelque chose sur nous et sur nos activités ?

— Je ne trouve pas d'explication, fut la réponse de l'agent, mais si je peux me permettre une remarque à ce sujet, je voudrais suggérer au tribunal supérieur de ne pas attribuer à cette affaire plus d'importance qu'elle n'en a en réalité. Un enfantillage anodin, c'est tout ! En outre, je demande au tribunal de tenir compte du fait que nous n'avons eu aucun mal à saboter le rassemblement prévu en organisant les choses de façon telle que les gens n'ont pas eu le temps de s'y rendre. Mais même si nous n'avions pas réussi ce sabotage, il me semble que les enfants n'auraient pu raconter aux gens qu'une quelconque histoire naïve de brigands. Quant à moi, je pense que nous aurions peut-être même bien fait d'autoriser ce rassemblement pour...

— Accusé, interrompit le juge d'un ton cassant, êtes-vous conscient du lieu où vous vous trouvez ? »

L'agent se recroquevilla un peu en disant :

« Oui.

— Vous ne vous trouvez pas devant un tribunal d'êtres humains, mais devant vos semblables. Vous savez parfaitement que vous n'arriverez pas à nous mentir. Pourquoi essayez-vous quand même de le faire ?

— Habitude professionnelle, balbutia l'accusé.

— Seul le comité est en mesure de juger de l'importance de l'entreprise des enfants. Cela dit, vous savez très bien, accusé, que rien ni personne ne présente autant de danger pour notre travail que les enfants précisément.

— Je le sais, admit l'accusé décontenancé.

— Les enfants sont nos ennemis naturels, expliqua le juge. S'ils n'existaient pas, l'humanité serait depuis longtemps entièrement en notre pouvoir. Il est beaucoup plus difficile d'amener les enfants que les adultes à économiser du temps. Une de nos lois inexorables est, par conséquent : les enfants en dernier ! Connaissez-vous cette loi, accusé ?

— Très bien, haut tribunal, répondit celui-ci.

— Nous avons néanmoins des preuves irréfutables, dit le juge, qu'un des nôtres, je répète, *un des nôtres*, a parlé à un enfant en lui livrant, de surcroît, notre secret. Accusé, cet *un des nôtres*, ignorez-vous qui il est ?

— Moi ! répondit l'agent BLW/553/c à bout de force.

— Et pourquoi avez-vous ainsi transgressé notre loi la plus implacable ? demanda le juge.

— Parce que cet enfant nous dérange énormément dans notre travail, étant donné l'influence qu'il exerce sur les autres gens, se défendit l'accusé. J'ai agi avec les meilleures intentions pour la Caisse d'épargne du temps.

— Vos intentions ne nous intéressent pas, dit le juge d'un ton glacial. Nous sommes exclusivement intéressés par le résultat. Dans votre cas, accusé, non seulement le résultat ne nous a rien rapporté — aucun gain de temps —, mais, de plus, vous avez dévoilé à cet enfant l'un de nos secrets les plus importants.

— Je l'avoue, dit à voix basse l'agent en baissant la tête.

— Donc, vous vous reconnaissez coupable ?

— Oui. Mais je demande au haut tribunal de bien vouloir tenir compte des circonstances atténuantes, à savoir que j'ai été ensorcelé, au vrai sens du terme. Cet enfant avait une façon de m'écouter qui m'obligeait à parler, à tout révéler. Je suis incapable de m'expliquer comment j'en suis arrivé là, mais c'est ainsi que cela s'est passé, je le jure.

— Vos excuses ne nous intéressent pas. Chez nous, les circonstances atténuantes n'ont pas cours. Notre loi est inébranlable et ne tolère aucune exception. Cela dit, nous allons nous occuper d'un peu plus près de ce curieux enfant. Comment s'appelle-t-il ?

— Momo.

— Garçon ou fille ?

— Une petite fille.

— Domicile ?

— Les ruines de l'amphithéâtre.

— Bien, dit le juge qui avait tout noté sur son agenda. Je vous promets, accusé, que tout sera mis en œuvre pour empêcher cette enfant de nous nuire une seconde fois. Que cette promesse puisse vous consoler au moment de l'exécution du jugement. »

L'accusé se mit à trembler.

144

« Et quel est ce jugement ? » balbutia-t-il.

Les trois juges rapprochèrent leurs têtes, se dirent des choses à voix basse et se firent des signes affirmatifs.

Puis celui du milieu s'adressa de nouveau à l'accusé et prononça le jugement :

« L'agent BLW/553/c a été jugé coupable de haute trahison à l'unanimité. Il a lui-même reconnu son délit. Le châtiment prescrit par notre loi est le retrait immédiat de tout son temps.

— Pitié ! Pitié ! » s'écria l'accusé.

Mais déjà deux des messieurs en gris lui avaient arraché sa serviette grise et son petit cigare.

Une scène des plus étonnantes s'ensuivit. Dès l'instant où le condamné se vit privé de son cigare, il devint de plus en plus transparent, ses cris s'estompèrent rapidement, et, la figure cachée entre ses mains, l'homme se désagrégea littéralement. Il n'en resta plus que quelques cendres tourbillonnantes qui finirent par disparaître, elles aussi.

Comme happés par l'obscurité, tous les messieurs en gris, témoins et juges, s'éloignèrent en silence. Bientôt on n'entendit plus que le bruit d'un vent sinistre qui balaya la montagne d'ordures devenue déserte.

Beppo n'avait pas bougé de sa place. Il fixait l'endroit où l'accusé venait de se dissoudre. Il avait l'impression d'avoir été lui-même transformé en un bloc de glace, qui commençait tout juste à se dégeler. Le spectacle auquel Beppo venait d'assister n'avait fait que lui confirmer, hélas ! la réalité de l'existence des messieurs en gris.

A la même heure à peu près — les douze coups de minuit venaient de résonner au loin —, Momo était toujours assise sur les gradins de l'amphithéâtre. Elle attendait quelque chose, mais ne savait pas quoi, et ce besoin d'attendre était si fort qu'elle repoussait toujours le moment de se coucher. Tout à coup, elle sentit un frôlement sur ses pieds nus. Pour mieux voir dans l'obscurité, Momo se pencha en avant et découvrit une grande tortue qui la regardait avec un curieux sourire. Les yeux noirs et brillants de l'animal exprimaient tant de gentillesse et d'intelligence que nul ne se serait étonné de l'entendre se mettre à parler.

Momo s'approcha d'elle pour la caresser sous le menton.

« Mais qui es-tu ? lui demanda-t-elle tout bas. C'est gentil d'être venue me voir, tortue. Qu'est-ce que je peux faire pour toi ? »

A sa grande surprise, Momo découvrit sur la carapace de la tortue des lettres faiblement lumineuses qui paraissaient formées par le dessin des écailles.

« SUIS-MOI ! » déchiffra Momo non sans quelque difficulté.

Surprise, elle demanda :

« Moi ? »

Mais la tortue s'était déjà mise en route. Après avoir fait quelques pas, elle s'arrêta et se retourna

146

vers Momo. « Il s'agit donc vraiment de moi ! » se dit la petite fille qui se mit aussitôt à suivre l'animal.

Momo marchait à tout petits pas derrière la tortue, qui la conduisait, avec la lenteur proverbiale de son espèce, en direction de la grande ville.

10

Une poursuite mouvementée et une évasion bien tranquille

Cramponné au guidon de son vélo, le vieux Beppo pédalait à toute allure. Les paroles du juge en gris lui revenaient sans cesse dans les oreilles : « ... Nous allons nous occuper de cette étrange fille. Je vous promets, accusé, que tout sera mis en œuvre pour empêcher cette enfant de nous nuire une seconde fois... »

Il n'y avait aucun doute, Momo courait le plus grand danger ! Il fallait la joindre au plus vite pour la mettre en garde contre les hommes en gris, pour la protéger — tout en ignorant, d'ailleurs, quels moyens utiliser. Mais Beppo se dit qu'il arriverait bien à en trouver un. Il accéléra, sa tignasse blanche flottait au vent ; il lui restait encore un long chemin à faire avant d'arriver à l'amphithéâtre.

Tous les phares braqués sur elle, une foule de grosses voitures grises avait encerclé la ruine. Des douzaines de messieurs en gris montaient et descendaient les gradins, fouillant toutes les cachettes possibles. Ils finirent par découvrir le trou dans le mur qui menait à la chambre de Momo. Certains s'y introduisirent, espérant la trouver sous son lit, ou même dans le poêle. Puis ils en sortirent en haussant les épaules et en secouant la poussière qui recouvrait leurs élégants costumes gris.

« L'oiseau a quitté son nid, dit l'un d'entre eux.

— Des enfants qui traînent dehors en pleine nuit au lieu d'être couchés, comme il se doit, c'est scandaleux ! dit un autre.

— Tout cela me déplaît au plus haut point ! ajouta un troisième. On dirait que quelqu'un l'a mise en garde à temps.

— Impossible ! répondit le premier. La personne en question aurait dû être au courant de nos projets avant nous. »

Les messieurs en gris se regardèrent, très inquiets.

« Au cas où elle aurait été réellement mise en garde par ce quelqu'un, elle ne se trouve certainement plus dans les parages. Nous perdrions donc notre temps en continuant nos recherches par ici.

— Qu'est-ce que vous avez de mieux à nous proposer ?

— Je pense qu'il faut immédiatement avertir la Centrale pour qu'elle organise d'urgence une opération de choc.

— La Centrale exigera d'abord de savoir — et à juste titre — si nous avons vraiment fouillé à fond tous les alentours.

— Eh bien, d'accord ! Nous allons poursuivre

nos recherches. Mais si la fille a réellement été sauvée par quelqu'un, nous commettrions une grave erreur en nous attardant ici.

— Absolument faux ! Même dans ce cas, rien n'empêchera l'organisation d'une opération de choc. Tous les agents disponibles participeront alors obligatoirement à la chasse. L'enfant n'aura plus la moindre chance de nous échapper. Allons, au travail, messieurs ! Vous connaissez l'enjeu ! »

Tenaillés par la peur, les messieurs en gris ne savaient plus où donner de la tête.

Cette nuit-là, le bruit ininterrompu des innombrables voitures qui passaient à toute allure, dans toutes les directions, et même dans les plus petites ruelles, priva de sommeil l'ensemble des habitants de la région.

Pendant ce temps, Momo, guidée par la tortue, traversait lentement la grande ville qui, depuis un certain temps, paraissait ne plus jamais dormir. Même à cette heure avancée de la nuit, une énorme foule de gens couraient en tous sens, énervés, impatients ; ils se bousculaient ou alors trottaient les uns derrière les autres, comme s'ils faisaient partie d'un immense troupeau. De plus, un nombre incroyable de voitures et de grands bus toujours surpeuplés rendaient la circulation aussi dense qu'en plein jour ; les lumières intermittentes des enseignes lumineuses ajoutaient encore à cette agitation.

Momo n'avait encore jamais vu rien de pareil ; les yeux grands ouverts, comme dans un rêve, elle suivait toujours la tortue. Elles traversèrent de grandes places et des rues vivement éclairées ; les voitures les dépassaient de tous les côtés, les piétons se pressaient autour d'elles, mais personne ne les remarqua.

La tortue semblait savoir d'avance et avec une certitude absolue l'instant où nulle voiture, nul piéton ne passerait, de sorte qu'elles ne furent jamais obligées de se dépêcher, ni de s'arrêter en traversant la cohue. Momo s'étonnait de ce que l'on puisse avancer aussi vite en marchant aussi lentement.

Enfin arrivé à l'amphithéâtre, Beppo, éclairé par le petit phare de son vélo, ne mit qu'une seconde pour découvrir les traces que les gros pneus avaient laissées tout autour de la ruine. Il jeta sa bicyclette dans l'herbe et se précipita vers le trou dans le mur.

« Momo ! chuchota-t-il. Momo ! » répéta-t-il d'une voix encore plus pressante.

Pas de réponse.

La gorge de Beppo se serra. Il se glissa au travers du trou dans la chambre totalement obscure et, en trébuchant, se fit une petite entorse au pied. De ses doigts tremblants, il frotta une allumette et regarda autour de lui.

La petite table et les deux chaises avaient été renversées, les couvertures et le matelas arrachés du lit. Momo n'était pas là !

Beppo éprouva comme une déchirure au cœur ; il eut du mal à étouffer un sanglot.

« Mon Dieu ! murmura-t-il, oh, mon Dieu ! Ils

l'ont déjà emmenée ! Ma petite fille a déjà été emmenée, je suis arrivé trop tard. Que faire maintenant ? »

Il jeta l'allumette qui lui avait brûlé les doigts et se retrouva dans l'obscurité.

Aussi vite qu'il le put, il regagna l'air libre et retourna, clopin-clopant, vers son vélo. L'instant d'après il était de nouveau en train de pédaler.

« Il faut que Gigi s'y mette ! se dit-il. Maintenant, c'est à Gigi de s'y mettre ! Pourvu que je trouve la remise où il dort ! »

Beppo savait que depuis plusieurs semaines, Gigi gagnait quelques sous supplémentaires comme gardien de nuit chez un petit ferrailleur. Les pièces détachées des voitures encore utilisables suscitaient l'intérêt des cambrioleurs.

En arrivant enfin à la remise, Beppo se mit à tambouriner de toutes ses forces contre la porte. Gigi, prudent, ne bougea pas. Mais il reconnut vite la voix de Beppo et lui ouvrit la porte.

Beppo respirait avec peine et ne put articuler que :

« Momo !... Il est arrivé quelque chose de terrible à Momo !

— Qu'est-ce que tu dis ? demanda Gigi, tout décontenancé. Momo ? Mais que s'est-il passé ?

— Je ne le sais pas encore moi-même, répondit Beppo, mais sûrement quelque chose de terrible ! »

Puis il raconta à son ami tout ce qu'il avait vu : le tribunal sur la montagne de détritus, les traces de pneus autour de l'amphithéâtre et surtout que

Momo avait disparu. Bien entendu, le récit de tous ces incidents prit pas mal de temps, car la peur et le souci qu'il éprouvait au sujet de Momo n'accélérèrent en rien le débit de Beppo.

« Je m'en étais douté dès le début, dit-il en terminant son rapport. J'ai toujours su que ça se terminerait mal. Maintenant, ils se sont vengés ! Ils ont enlevé Momo ! Mon Dieu ! Gigi, nous devons l'aider ! Mais comment ?... Si je savais comment... »

Gigi était devenu blême. Il avait l'impression que la terre s'ouvrait sous lui. Jusqu'à présent, toute cette histoire n'avait été pour lui qu'un jeu pareil aux autres. Il n'avait jamais réfléchi à ses éventuelles conséquences. Pour la première fois de sa vie, une histoire se poursuivait sans lui — se rendait, pour ainsi dire, indépendante de lui. Même l'imagination la plus fabuleuse ne pouvait rien y changer. Gigi se sentait comme paralysé.

S'étant quelque peu ressaisi, il dit :

« Tu sais, Beppo, il se pourrait aussi que Momo soit juste allée se promener. Cela fait partie de ses habitudes. Une fois, elle s'est même baladée pendant trois jours et trois nuits dans le pays. Je veux dire que, pour l'instant, nous n'avons encore aucune raison de nous faire tant de soucis. »

Beppo ne partageait pas cet avis :

« Et les traces de pneus ? Et le matelas arraché ?...

— Oui, oui, bien sûr, admit Gigi. Supposons que quelqu'un se soit rendu là-bas. Cela ne veut pas nécessairement dire qu'il ait trouvé Momo. Si elle n'avait pas déjà été partie, ils n'auraient pas été obligés de fouiller partout.

— Et s'ils l'avaient trouvée quand même ! s'écria Beppo qui, hors de lui, avait saisi son jeune ami par les épaules. Gigi, ne fais pas l'idiot ! Les messieurs en gris sont une réalité ! Nous devons faire quelque chose, et au plus vite !

— Calme-toi, Beppo ! bégaya Gigi effrayé. Bien entendu, nous ferons quelque chose, mais il faudra bien y réfléchir avant. Nous ne savons même pas où chercher Momo. »

Beppo lâcha les épaules de Gigi et s'écria :

« Je vais à la police ! »

Gigi parut horrifié par cette idée :

« Mais, Beppo, tu perds la tête ! Tu ne vas pas faire ça ! Suppose qu'ils partent à la recherche de notre petite Momo et qu'ils la trouvent. Sais-tu ce qu'ils feraient d'elle, Beppo ? Est-ce que tu sais où l'on amène les enfants en vagabondage, qui n'ont pas de parents ? Eh bien, on les amène dans une de ces maisons avec des barreaux aux fenêtres ! C'est ce que tu voudrais faire subir à notre Momo ? »

Désemparé, Beppo baissa les yeux :

« Non, bien sûr que non ! murmura-t-il, mais si elle était, en ce moment même, en danger... ?

— Et si, au contraire, elle ne l'était pas ? continua Gigi. Il se pourrait très bien qu'elle se promène tranquillement dans la région, et toi, tu lâcherais la police sur elle ? Je n'aimerais pas être à ta place au moment où elle te regardera pour la dernière fois ! »

Beppo s'effondra sur une chaise et cacha sa figure dans ses mains.

« Je ne sais vraiment pas ce que je dois faire, soupira-t-il, je ne le sais vraiment pas !

— A mon avis, nous ne devons rien entreprendre avant demain ou après-demain, dit Gigi. Si elle n'est pas rentrée d'ici là, il sera toujours temps de prévenir la police. Mais, probablement, tout se sera arrangé bien avant, et nous rirons, tous trois ensemble, de cette aventure farfelue !

— Tu crois ? » murmura Beppo qui se sentit, brusquement, écrasé par la fatigue.

Cette journée avait été un peu trop lourde pour cet homme déjà âgé.

« Mais oui », dit Gigi, tout en retirant à Beppo la chaussure du pied foulé.

Puis il installa son ami sur le matelas et enveloppa le pied dans un chiffon mouillé.

« Ça s'arrangera, ajouta-t-il affectueusement. Tout s'arrangera. »

Lorsqu'il constata que Beppo s'était endormi, il soupira et se coucha à même le sol, mais sans arriver à trouver le sommeil. Les messieurs en gris hantèrent ses pensées pendant toute la nuit, et, pour la première fois de sa vie jusqu'alors si insouciante, Gigi connut l'angoisse.

La Centrale de la Caisse d'épargne du temps avait mobilisé tout son monde pour l'opération de choc. L'ensemble des agents avait immédiatement interrompu toute autre activité pour se consacrer uniquement à la recherche de la petite Momo. Il y avait des personnages en gris absolument partout : dans toutes les rues, sur les toits, dans les égoûts ; ni vus ni connus, ils contrôlèrent les gares, l'aéroport, les autobus et les tramways. Mais Momo restait introuvable.

« Dis donc, tortue, j'aimerais quand même bien savoir où tu m'emmènes ? » demanda Momo.

Toutes deux étaient juste en train de traverser une arrière-cour très sombre.

« N'AIE PAS PEUR ! » Cette phrase se dessina sur la carapace de la tortue.

« Pas question d'avoir peur ! » dit Momo.

Mais elle le disait surtout pour se donner du courage, car elle était, malgré tout, un peu inquiète. La tortue prit des chemins de plus en plus bizarres. Elles avaient déjà traversé des jardins, des ponts, des passages souterrains, des portes cochères et des corridors dans des maisons. Elles avaient même passé par quelques caves.

Si Momo avait su que toute une armée de messieurs en gris étaient à sa poursuite, elle aurait certainement eu bien plus peur encore. Mais comme elle ne se doutait de rien, elle suivait patiemment, pas à pas, la tortue, sur sa route si embrouillée en apparence.

Et c'était bien ce qu'il fallait faire. Tout comme la tortue avait trouvé son chemin au travers des rues grouillantes, elle paraissait savoir d'avance quand et où les persécuteurs surgiraient. Parfois, les messieurs en gris ne passaient qu'un instant plus tard à l'endroit où la tortue et Momo venaient, elles, de passer. Mais ils ne se rencontrèrent pas une seule fois.

« Heureusement que je sais lire ! dit Momo à haute et intelligible voix, sans se méfier le moins du monde d'être entendue.

Tout comme un feu de signalisation, le mot : « SILENCE ! » se mit à clignoter sur la carapace de la tortue.

Sans en comprendre la raison, Momo obéit. Non loin d'eux, trois personnages disparurent dans l'ombre.

Momo et la tortue se trouvaient maintenant dans le quartier pauvre de la ville : de grandes maisons grises et misérables, semblables à des casernes, dont le crépi s'effritait. Dans les rues pleines de trous, avec des flaques d'eau stagnante, il n'y avait personne.

Un communiqué signala à la Centrale de la Caisse d'épargne du temps qu'on avait vu quelque part la petite Momo.

« Bravo ! répondit la Centrale. L'avez-vous arrêtée ?

— Non, elle a redisparu tout aussitôt, sans laisser de traces.

— Comment est-ce possible ?

— C'est ce que nous aimerions bien savoir, nous aussi. Il y a quelque chose de louche là-dessous.

— Où était-elle quand vous l'avez vue ?

— Eh bien, justement, elle était dans un quartier que nous ne connaissons pas du tout.

— Un tel quartier n'existe pas dans la ville ! décréta la Centrale.

— Apparemment si ! Comment vous dire ? C'est comme si ce quartier était situé à l'extrême limite du temps. Et Momo se dirigeait vers cette limite.

— Quoi ! rugit la Centrale. Il faut renforcer la poursuite ! Il faut rattraper cette fille absolument ! Compris ?

— Compris », telle fut la réponse grise comme la cendre.

Momo pensa d'abord que c'était l'aube. Puis elle se rendit compte que cette lumière mystérieuse était apparue tout à coup, c'est-à-dire exactement au moment où elles avaient tourné au coin de la rue pour prendre une nouvelle direction. Il n'y faisait plus nuit, mais pas encore jour non plus. Ce crépuscule ne ressemblait ni à celui du matin, ni à celui du soir. Cette lumière faisait apparaître tous les contours de manière anormalement claire et précise, elle semblait venir de partout et de nulle part, car les ombres longues et noires, que projetaient même les cailloux les plus petits, partaient dans toutes les directions, comme si tel arbre était éclairé de gauche, telle maison de droite et le monument, là-bas, de face.

Ce monument avait, par ailleurs, un aspect plutôt bizarre. Sur un grand socle de pierre noire en forme de cube était posé un œuf blanc gigantesque, et c'était tout.

Les maisons n'étaient pas moins curieuses : d'un blanc éblouissant à l'extérieur et du noir le plus noir à l'intérieur, au-delà des fenêtres. On ne pouvait absolument pas voir si quelqu'un y habitait ou non. Momo avait d'ailleurs l'impression que ces maisons n'avaient pas été construites pour être habitées.

Les rues étaient rigoureusement vides : il n'y avait ni hommes, ni chiens, ni oiseaux, ni voitures. Le tout avait un aspect figé et comme contenu dans du verre. Même l'air était immobile, pas le moindre souffle.

Momo s'étonnait de la rapidité avec laquelle elles avançaient alors que la tortue marchait encore plus lentement qu'auparavant.

A l'extérieur de ce quartier étrange, c'est-à-dire là où il faisait nuit, trois grosses voitures fonçaient dans la rue pleine de trous. Dans chacune des voitures se trouvaient plusieurs messieurs en gris. L'un d'eux avait aperçu Momo au moment où elle s'engageait dans la rue éclairée par la lumière mystérieuse et bordée de maisons blanches.

Mais lorsque les messieurs en gris eurent atteint ce même endroit, il se passa une chose absolument incompréhensible : les voitures ne pouvaient plus avancer. Les conducteurs accéléraient à fond, les roues tournaient à toute vitesse, mais les véhicules restaient sur place, un peu comme s'ils se trouvaient sur un tapis roulant qui glisserait à la même vitesse, mais dans la direction opposée. Lorsque les messieurs en gris comprirent que plus ils forçaient sur l'accélérateur, moins ils avançaient, ils quittèrent leurs voitures en jurant comme des charretiers. La silhouette de Momo étant encore visible au loin, ils coururent à perdre haleine, pensant pouvoir l'attraper. Mais l'épuisement les obligea de constater qu'ils n'avaient parcouru que dix mètres. Quant à Momo, elle avait disparu quelque part, entre les maisons blanches.

« C'est terminé ! dit l'un des messieurs en gris. C'est fichu ! Nous ne l'aurons plus.

— Je n'arrive pas à comprendre pourquoi nous ne pouvions plus avancer, dit un autre.

— Moi non plus, répondit le premier. Toute la question est maintenant de savoir s'il faut en tenir compte en tant que circonstance atténuante.

— Vous pensez que nous serons traduits en justice ?

— Nous ne recevrons certainement pas des compliments ! »

Découragés, ces messieurs s'installèrent sur les capots et les pare-chocs de leurs voitures. Ils n'avaient plus de raison de se presser.

Quelque part — très loin — Momo suivait toujours la tortue à travers le labyrinthe des rues et des places désertes, blanches comme neige. Une fois de plus, la tortue tourna au coin d'une rue, Momo en fit autant et, surprise, s'arrêta. Elle n'avait encore jamais vu une rue pareille.

160

D'ailleurs, c'était plutôt une ruelle étroite. Elle était bordée des deux côtés de maisons accolées les unes contre les autres, qui étaient comme de petits palais de verre ornés de petites tours, de fenêtres à balcons et de terrasses qui, après y avoir séjourné pendant des temps immémoriaux, venaient d'émerger du fond de la mer, car ils étaient recouverts de varech et d'algues ; sur leurs murs étaient accrochés des coquillages et des coraux. Tout l'ensemble brillait des couleurs douces de la nacre.

Une maison, construite perpendiculairement aux autres, fermait la ruelle à l'autre bout. On voyait de loin que l'on entrait dans cette maison par un grand portail vert à deux battants.

Fixée au mur, une petite plaque de marbre apprit à Momo qu'elle se trouvait dans la

RUELLE HORS-DU-TEMPS

Les quelques instants dont Momo avait eu besoin pour déchiffrer cette inscription avaient suffi à la tortue pour arriver presque au bout de la ruelle.

« Tortue, attends-moi », cria Momo, qui constata avec étonnement que le son de sa voix était inaudible.

La tortue, par contre, semblait l'avoir entendue, car elle s'arrêta et se retourna. Comme Momo s'apprêtait à la rejoindre, il lui fut subitement presque impossible d'avancer. Elle avait l'impression de marcher sous l'eau, contre un courant extrêmement fort, ou d'avoir à lutter contre une tempête à la fois énorme et imperceptible, dont le souffle la rejetait en arrière. Pour pouvoir continuer son chemin, Momo fut obligée de s'agripper aux murs et même de ramper à quatre pattes.

« Je n'y arriverai pas ! s'écria-t-elle. Viens donc m'aider ! »

Lentement, la tortue revint sur ses pas, et, sur la carapace, Momo déchiffra : « MARCHER A RECULONS ! »

Momo essaya aussitôt et avança dès lors sans la moindre difficulté.

Finalement, elle se cogna contre quelque chose de dur. En se retournant, elle reconnut le grand portail vert à deux battants de la dernière maison de la ruelle, celle qui en constituait comme la bouche. Vu de près, le portail de métal vert, décoré de toutes sortes de dessins, impressionna Momo par sa taille gigantesque.

Au moment même où elle se demandait si elle parviendrait à ouvrir les deux lourds battants, ceux-ci s'écartèrent d'eux-mêmes. Momo eut tout juste le temps de se glisser à l'intérieur, car ils se refermèrent immédiatement avec lenteur. Le déclic de la grosse serrure fit un bruit d'orage lointain.

Momo avait eu le temps de découvrir sur un mur que cet endroit s'appelait :

LA MAISON DE NULLE-PART

Elle se trouvait maintenant dans un très long corridor aux murs élevés. De chaque côté et à distances égales, des hommes et des femmes nus en

162

pierre paraissaient soutenir le plafond. Il n'y avait ici plus aucune trace du contre-courant du dehors.

Toujours fidèlement suivie par Momo, la tortue se dirigea à l'extrémité du corridor où elle s'arrêta devant une toute petite porte, juste assez grande pour permettre à Momo de s'y introduire.

« NOUS VOICI ARRIVÉES ! » Cette phrase apparut sur la carapace.

Momo s'accroupit pour déchiffrer le nom inscrit sur l'enseigne de la porte :

MAÎTRE SECUNDUS MINUTIUS HORA

Prenant son courage à deux mains, Momo appuya sur la poignée. La petite porte s'ouvrit, la tortue précédait Momo qui suivait, et la petite porte se referma. Elles furent accueillies par une symphonie comportant les bruits les plus variés, avec une prédominance de tic-tac.

11

Comment des méchants
font le mieux du pire...

Dans les interminables couloirs éclairés d'une lumière grisâtre de la Caisse d'épargne du temps, les agents couraient dans tous les sens. Agités à l'extrême, ils se transmettaient les dernières nouvelles à voix basse : tous les membres du comité de direction s'étaient réunis en séance extraordinaire !

Pour les uns, cela ne pouvait signifier qu'une catastrophe imminente, alors que pour les autres, il était évident que la discussion de ces messieurs concernait de nouvelles perspectives de gain de temps.

Installés autour d'une immense table de conférence, les messieurs en gris du comité de direction délibéraient. Comme d'habitude, ils avaient tous gardé leur porte-documents et leur petit cigare gris à la bouche. Par contre, ils s'étaient débarrassés de leurs chapeaux melon gris et exposaient, tous, des crânes aussi chauves que des cailloux.

L'atmosphère était pesante.

Le président se leva, le murmure s'arrêta, et deux interminables rangées de visages gris se tournèrent vers lui.

« Messieurs, notre situation est grave, dit-il. Je me vois dans l'obligation de vous mettre, sans tarder, au courant de faits aussi désastreux qu'inexorables.

« Tous nos agents disponibles ont dû être mobilisés en vue de retrouver la jeune Momo. Cette chasse a duré six heures, treize minutes, huit secondes. Pendant ce temps, nos agents ont été forcément obligés de négliger le but véritable de leur existence, qui n'est autre que rapporter du temps. A cette perte s'ajoute encore le temps que nos agents ont consommé pour eux-mêmes au cours de leurs recherches. De ces déficits additionnés résulte une perte de temps de trois milliards sept cent trente-huit millions deux cent cinquante-neuf mille et cent quatorze secondes, très exactement.

« Messieurs, ce chiffre dépasse le temps d'une vie humaine ! Il va de soi, je pense, que vous vous rendez compte de ce que cela représente pour nous. »

Il s'arrêta un instant et désigna l'énorme porte d'acier d'un coffre-fort à l'autre extrémité de la salle.

« Nos coffres-forts de temps ne sont pas inépuisables ! continua-t-il en élevant la voix. Si seulement cette poursuite en avait valu la peine ! Mais, hélas ! Cela n'a été que du temps inutilement gaspillé ! Messieurs, il est absolument exclu que semblable situation se reproduise ! Je m'opposerai de toute mon autorité à une éventuelle répétition d'une entreprise aussi coûteuse. Il faut faire des économies. Je vous demande donc de faire tous vos projets dans ce sens. C'est tout ce que j'ai à vous dire. Je vous remercie de votre attention. »

Il s'assit et fuma son cigare à grosses bouffées. L'auditoire se mit à chuchoter dans une grande agitation.

A l'autre extrémité de la table, un autre orateur prit la parole, et toutes les têtes se tournèrent vers lui.

« Messieurs, dit-il, la prospérité de notre Caisse d'épargne du temps nous tient à cœur à tous. Cependant, il me semble tout à fait inadéquat de nous inquiéter au sujet de cette affaire et, encore moins, de la considérer comme une catastrophe. Nous savons tous que nos coffres-forts contiennent des réserves de temps en quantités telles que même une perte considérablement plus importante ne pourrait nous mettre sérieusement en danger. Qu'est-ce qu'une vie humaine pour nous ? Véritablement une bagatelle ! Toutefois, je me range à l'avis de notre très honoré président, à savoir que semblable incident ne puisse plus se reproduire. Mais l'affaire Momo est absolument unique. Une situation pareille ne s'est encore jamais présentée, et il est fort improbable qu'elle se reproduise un jour. M. le Président nous a reproché — à juste titre — d'avoir laissé Momo s'échapper. Mais nous ne cherchions qu'à rendre cette fille inoffensive et nous y sommes parvenus. Momo a disparu, elle s'est enfuie du domaine du temps. Nous en sommes débarrassés. Je pense que nous pouvons être satisfaits de ce résultat. »

Avec un sourire suffisant, l'orateur reprit sa place. Il eut droit à quelques maigres applaudissements.

Un troisième orateur demanda la parole :

« Je serai bref, expliqua-t-il d'un air pincé. Le discours lénifiant de mon prédécesseur me semble faire preuve d'une irresponsabilité totale. Cette enfant n'est pas un enfant comme les autres. Elle dispose de facultés extrêmement dangereuses pour nous et nos intérêts, nous en avons tous fait l'expérience. Que cet incident soit unique jusqu'ici, cela ne peut absolument pas être la garantie qu'il ne se reproduise plus jamais. Il faut rester vigilant, tant que nous n'aurons pas mis la main sur cette jeune Momo. Puisqu'elle a quitté le domaine du temps, elle pourra y revenir quand cela lui plaira, et elle reviendra ! »

Il s'assit. Les autres messieurs du comité de direction rentrèrent leur tête dans les épaules.

Un quatrième orateur, assis face au troisième, prit la parole à son tour :

« Je vous demande de ne pas m'en vouloir, messieurs, de dire enfin les choses telles qu'elles sont. Nous ne cessons de tourner autour du pot. Il nous faut enfin admettre qu'une puissance étrangère a mis sa main dans cette affaire. Je me suis livré à un calcul exact de toutes les possibilités. La proba-

167

bilité pour un être humain de quitter le domaine du temps par ses propres moyens, tout en restant en vie, est de un à quarante-deux millions. Autrement dit, c'est pratiquement impossible. »

Une nouvelle fois, les membres du comité se mirent nerveusement à chuchoter entre eux.

« Tout porte à croire, continua l'orateur, une fois le silence rétabli, que Momo a été aidée pour pouvoir nous échapper. Vous savez tous à qui je fais allusion. Il s'agit de ce soi-disant Maître Hora. »

En entendant prononcer ce nom, certains des messieurs en gris sursautèrent comme s'ils avaient été piqués par une guêpe ; d'autres bondirent de leurs chaises en poussant des cris et en gesticulant à tort et à travers.

« Je vous en prie, messieurs ! s'écria le quatrième orateur, maîtrisez-vous ! Je sais aussi bien que vous que prononcer ce nom n'est pas de bon ton. Mais nous voulons et nous devons voir clair dans cette affaire. Si... la personne en question a aidé Momo, elle avait certainement de bonnes raisons pour le faire. Il est évident que ce n'était pas pour nous être agréable. En un mot, messieurs, nous devons nous attendre à ce que la personne en question ne nous renvoie cette jeune personne qu'armée jusqu'aux dents contre nous. Elle sera alors pour nous un danger mortel. C'est pourquoi nous devons être prêts non seulement à sacrifier de nouveau le temps d'une vie humaine, même multiplié par x, mais à risquer le tout pour le tout. Car, dans ce cas

168

particulier, toute mesure d'économie pourrait nous coûter diablement cher. Je suppose que vous comprenez à quoi je fais allusion. »

L'agitation grandit encore ; tous les messieurs en gris parlaient en même temps. Un cinquième orateur se mit debout sur sa chaise, gesticulant de manière folle avec ses mains tout en criant :

« Silence ! Silence ! Mon prédécesseur se borne malheureusement à prévoir toutes sortes de catastrophes. Mais apparemment il ne sait pas, lui non plus, comment nous pouvons nous défendre. Il dit que nous ne devons reculer devant aucun sacrifice. D'accord. Que nous devons nous préparer au pire. D'accord. Que nous ne devons pas économiser nos réserves. D'accord. Mais ce ne sont là que paroles vides de sens. Qu'il nous dise, enfin, ce que nous devons faire ! Personne d'entre nous ne sait comment la personne en question armera cette fille. Nous nous trouverons alors face à un danger totalement inconnu. Voilà le vrai problème à résoudre ! »

Dans la salle, le bruit devint tumulte, ce fut la grande pagaille, une véritable panique.

Le sixième orateur eut beaucoup de mal à se faire entendre :

« Messieurs, dit-il, je vous en prie ! Soyez raisonnables ! Le plus important, en ce moment, c'est de garder la tête froide. Supposons que cette fille — munie d'une arme, quelle qu'elle soit — revienne de chez la personne en question, il n'y a aucune raison que nous combattions avec elle, nous, personnellement. Comme le triste sort de notre agent

BLW/553/c nous l'a prouvé, nous ne sommes pas particulièrement aptes à ce genre d'exercice. Mais cela n'a aucune importance puisque nous avons suffisamment de complices parmi les hommes. Si nous les mobilisons, de façon à la fois discrète et efficace, nous arriverons à nous débarrasser de Momo et du danger qu'elle représente sans jamais apparaître sur scène nous-mêmes. Un tel procédé serait économique, sans aucun danger pour nous et d'une efficacité certaine. »

Les membres du comité firent entendre un soupir de soulagement. Enfin une proposition paraissant censée à tout le monde ! Elle aurait, sans doute, été immédiatement acceptée si un septième orateur n'avait demandé la parole.

« Messieurs, commença-t-il, nous n'envisageons qu'une seule éventualité : comment nous débarrasser de Momo. Avouons que nous en avons peur, et la peur est toujours mauvaise conseillère. J'ai l'impression que nous passons à côté d'une chance extraordinaire. Un proverbe ne dit-il pas : "Si tu ne peux vaincre ton ennemi, il faut en faire ton ami" ? Pourquoi ne pas tenter de gagner Momo à notre cause ?

— Tiens ! Tiens ! s'exclamèrent quelques-uns des assistants. Donnez-nous des explications plus précises !

— De toute évidence, continua l'orateur, cette enfant a vraiment trouvé le chemin qui mène chez la personne en question, chemin que, dès le début, nous avons cherché en vain ! Elle pourrait donc certainement retrouver ce chemin à n'importe quel moment et nous guider. Nous pourrions alors discuter avec la personne en question à notre manière. Je suis sûr que tout serait vite réglé. Lorsque nous aurons investi la place, nous n'aurons plus jamais besoin de recueillir péniblement les heures, les minutes, les secondes, mais, d'un seul coup, d'un seul, la totalité du temps de tous les hommes serait en notre pouvoir ! Être en possession du temps de tous les hommes confère un pouvoir illimité ! Comme vous pouvez l'imaginer, messieurs, cela signifierait que nous serions arrivés au but ! Et cette Momo, que vous cherchez tous à éliminer, c'est justement elle qui pourrait nous être tellement utile ! »

Un silence de mort régnait dans la salle.

« Vous n'ignorez pas qu'il est impossible de mentir à Momo ! s'écria quelqu'un. Rappelez-vous l'agent BLW/553/c ! Chacun de nous aurait à subir son triste sort !

— Il n'est absolument pas question de mentir, répondit l'orateur. Bien entendu, nous lui ferons part de notre projet en toute franchise.

— Mais alors, elle n'acceptera jamais ! s'écria quelqu'un d'autre en agitant les bras. C'est tout à fait impensable !

— Je n'en suis pas aussi sûr que vous, objecta un neuvième orateur, nouveau venu dans la discussion. En contrepartie, il faudrait, bien entendu, lui faire une offre qui puisse la séduire. Par exem-

171

ple, lui promettre autant de temps qu'elle en voudrait...

— Promesse que nous ne tiendrions naturellement pas ! s'écria l'autre.

— Bien sûr que si ! répondit le neuvième orateur avec un sourire glacial, car rien qu'en nous écoutant parler, elle se rendra compte si nous sommes ou non de bonne foi.

— Non et non ! hurla le président en tapant sur la table, je ne pourrais le tolérer ! Si nous lui donnions vraiment autant de temps qu'elle pourrait le désirer, cela nous coûterait une fortune !

— N'exagérons rien ! riposta l'orateur. Un seul enfant ne peut pas dépenser grand-chose. Ce serait, bien sûr, une petite perte constante, mais imaginez ce que nous obtiendrions en échange ! Le temps de tous les hommes ! Le peu de temps que Momo utiliserait figurerait sous la rubrique "Dépenses" sur le Compte des frais professionnels. Qu'est-ce que cela représenterait à côté de nos immenses avantages ! »

L'orateur reprit sa place, et tous se mirent à réfléchir à ces avantages.

« Cela n'a aucune chance de marcher, reprit le sixième orateur au bout d'un petit moment.

— Et pourquoi donc ?

— Pour la bonne raison que cette fille a malheureusement autant de temps qu'elle le désire. Espérer l'acheter en lui proposant quelque chose qu'elle possède à profusion, cela n'a aucun sens.

— Alors, nous devons commencer par l'en priver, rétorqua le neuvième orateur.

— Ah bah ! mon cher, dit le président épuisé, nous n'en finissons pas de tourner en rond. De toute façon, nous n'arriverons pas à atteindre cette fille. Tout le problème est là. »

Un soupir de déception général se fit entendre.

« J'aurais une proposition à faire, dit un dixième orateur, si vous permettez... ?

— Vous avez la parole », dit le président.

Avec une légère inclination à l'adresse du président, l'orateur continua :

« Cette fille dépend de ses amis. Elle aime faire cadeau de son temps aux autres. Mais imaginons un instant ce qu'elle deviendrait si elle n'avait plus personne avec qui partager son temps.

« Comme elle n'acceptera jamais de nous aider, il nous faudra, tout simplement, nous en tenir à ses amis. »

Il tira de sa serviette un classeur :

« Il s'agit essentiellement d'un certain Beppo, balayeur, et d'un certain Gigi, guide. Voici également une liste assez longue des enfants qui vont la voir régulièrement. Vraiment peu de chose, comme vous voyez. Nous allons simplement éloigner toutes ces personnes de Momo de façon à ce qu'elle ne puisse plus les joindre. La pauvre enfant se retrouvera toute seule. Tout le temps dont elle dispose représentera rapidement pour elle un fardeau, une malédiction même ! Tôt ou tard, elle ne le supportera plus. Alors ce sera à nous de jouer, de poser nos conditions. Je parie mille ans contre un dixième de seconde qu'elle n'acceptera de nous guider sur le chemin en question rien que pour récupérer ses amis. »

Les messieurs en gris se redressèrent, un sourire triomphant sur leurs lèvres aussi minces que des lames de rasoir.

12

Momo découvre
d'où vient le temps

Jamais encore Momo ne s'était trouvée dans une salle aussi immense, plus grande qu'une église ou le hall d'une gare. Le plafond était si haut qu'on l'imaginait plus qu'on ne le voyait. Il était soutenu par des colonnes impressionnantes. Il n'y avait pas de fenêtres. D'innombrables bougies inondaient la salle d'une lumière dorée.

Les ron-ron, tic-tac, cri-cri et autres bruits qu'avait remarqués Momo en entrant provenaient de milliers de montres de tous genres et de toutes tailles. Elles étaient disposées sur de longues tables, dans des vitrines, sur des socles en or ou des étagères qui n'en finissaient pas.

Il y avait des montres de poche minuscules, incrustées de diamants, des réveils ordinaires en fer-blanc, des sabliers, des boîtes à musique sur lesquelles dansait une petite poupée, des cadrans solaires, des montres en bois, en pierre, en verre et d'autres que faisait marcher une petite cascade.

Toutes les espèces imaginables de coucous et d'autres montres à poids et à balanciers étaient accrochées aux murs. Certaines oscillaient lentement, gravement, tandis qu'ailleurs des balanciers minuscules allaient et venaient à toute vitesse. Quatre galeries superposées faisaient le tour de la salle. Et partout, des montres étaient suspendues et dispersées, horizontalement ou verticalement. Il y avait aussi des horloges en forme de globe, qui indiquaient les temps différents de chaque point sur la terre, de petits et de grands observatoires avec le soleil, la lune et les étoiles. Au milieu de la salle, c'était comme une véritable forêt d'horloges, allant de la simple pendule aux grandes horloges compliquées.

Chaque montre indiquait une heure différente, raison pour laquelle à chaque instant il y en avait au moins une qui sonnait. Curieusement, cela donnait l'impression agréable du bruissement des feuilles dans une forêt, l'été.

Les yeux grands ouverts, Momo se promena parmi toutes ces curiosités. Juste au moment où elle s'apprêtait à toucher une petite figurine pour voir si cela la ferait bouger, elle entendit une voix chaleureuse qui disait :

« Ah ! te revoilà, Kassiopeïa ! Est-ce que tu n'aurais pas amené la petite Momo ? »

Momo se retourna et vit, entre les horloges et les pendules, un vieux monsieur tout frêle, aux cheveux argentés, qui s'inclina vers la tortue installée à ses pieds. Il portait une longue veste brodée d'or, des culottes de soie blanche resserrées aux genoux, des bas blancs et des chaussures à boucle dorée. Au bas des manches et à l'encolure de la veste, il y avait des dentelles, et ses cheveux argentés formaient une petite natte dans la nuque. Momo n'avait jamais vu pareil accoutrement, mais quelqu'un de plus instruit qu'elle aurait facilement reconnu la mode d'il y a deux cents ans.

En s'adressant toujours à la tortue, le vieux monsieur s'exclama :

« Comment ? Elle est déjà là ? Mais où donc ? »

Après avoir mis de petites lunettes en or, il regarda tout autour de lui.

« Me voilà ! » s'écria Momo.

Avec un sourire, les bras tendus vers elle, le vieux monsieur avança dans sa direction. Il sembla à Momo qu'il rajeunissait au fur et à mesure qu'il se rapprochait. Lorsqu'il arriva enfin auprès d'elle pour lui serrer chaleureusement la main, il avait l'air à peine plus âgé que la petite fille.

« Bonjour ! Sois la bienvenue à la maison de Nulle-Part, dit-il d'un ton enjoué. Si tu permets, ma petite Momo, je vais d'abord me présenter : Maître Hora, Secundus Minutius Hora.

— Est-ce vrai que tu m'attendais ? lui demanda Momo étonnée.

— Mais absolument ! C'est bien pour que tu viennes que je t'ai envoyé Kassiopeïa, ma tortue. Tu es même à l'heure, de manière inhabituelle. »

Il sortit de son gousset une montre plate, ornée de diamants.

Momo remarqua que le cadran ne possédait ni

aiguilles ni chiffres, mais seulement deux spirales extrêmement fines, disposées en croix, qui tournaient lentement en sens opposé. Parfois, quand elles ne formaient plus qu'une seule ligne, de tout petits points lumineux apparaissaient.

« Cette montre, dit Maître Hora, indique avec une exactitude remarquable les heures célestes qui sont si rares. A l'instant même, une telle heure vient de commencer.

— Et qu'est-ce qu'une heure céleste ? demanda Momo.

— Eh bien, ce sont des moments tout à fait exceptionnels au cours de la vie où chaque chose et chaque être, jusqu'aux étoiles les plus éloignées, s'entendent mystérieusement. Cela peut donner lieu à des événements uniques et mystérieux, eux aussi. Hélas ! les êtres humains ne savent pas saisir ces moments rares et, le plus souvent, les heures célestes passent inaperçues. Mais si quelqu'un les reconnaît, il se passe alors des choses importantes dans le monde.

— C'est peut-être justement à quoi sert une telle montre », suggéra Momo.

Maître Hora sourit :

« La montre à elle seule ne servirait à rien. Il faut encore savoir la lire. »

Il remit la montre dans son gousset.

Remarquant l'étonnement avec lequel Momo le dévisageait, Maître Hora parut se rappeler son costume inhabituel et dit :

« Oh ! Je pense que moi, je suis en retard —

quant à la mode actuelle. Je suis tellement distrait par moments, mais, dans un instant, tout va s'arranger ! »

Il claqua des doigts et, instantanément, se trouva revêtu d'une redingote à collet montant.

« Est-ce mieux ainsi ? » demanda-t-il. Momo avait l'air de plus en plus étonnée. « Mais bien sûr que non, dit-il, on dirait que j'ai perdu la tête ! »

De nouveau, il claqua des doigts : les vêtements qu'il portait étaient tels que ni Momo ni personne n'en avaient jamais vus de pareils, car ils étaient à la mode de dans cent ans.

« Ça ne te plaît pas non plus ? demanda-t-il à Momo. Par Orion, je vais quand même finir par y arriver ! Attends ! J'essaie encore une fois. »

Pour la troisième fois, il claqua des doigts et se présenta enfin à Momo en costume de ville banal, celui que tout homme porte de nos jours.

« C'est bien ça, non ? dit-il avec un petit clin d'œil. J'espère que je ne t'ai pas fait peur, Momo. C'était juste une petite plaisanterie. Mais il est temps que nous passions à table, ma chère enfant. Le petit déjeuner est servi. Tu as marché longtemps, j'espère que tu mangeras de bon appétit. »

Il la prit par la main et lui fit traverser toute la forêt de pendules et d'horloges aussi compliquée qu'un labyrinthe. Un peu en retrait, la tortue les suivait. Ils arrivèrent enfin dans une petite pièce où les dos de quelques énormes boîtiers d'horloges servaient de murs. Une petite table aux pieds de biche, un canapé fragile et des chaises recouvertes de tapisserie assortie constituaient l'ameublement. Cette petite pièce était, elle aussi, plongée dans la lumière dorée de bougies aux flammes immobiles. Sur la table, il y avait une grosse carafe d'or, deux petites tasses, des assiettes, des petites cuillers et des couteaux ; tout était en or massif. Il y avait, dans une corbeille, des petits pains dorés et craquants, du beurre d'un jaune doré dans un ravier et du miel qui était comme de l'or liquide. Maître Hora remplit les deux tasses avec du chocolat et encouragea son invitée à se servir copieusement.

Momo ne se fit pas prier. Elle ignorait totalement qu'il existait du chocolat à boire, et les petits pains avec du beurre et du miel appartenaient à ce qu'il y avait de plus rare dans sa vie. Elle s'absorba complètement dans ce délicieux petit déjeuner, ne pensant à rien d'autre. Elle n'avait jamais rien mangé d'aussi bon. Curieusement, cette nourriture la débarrassa progressivement de sa fatigue. Elle se sentait fraîche comme un gardon, alors qu'elle n'avait pas dormi de toute la nuit. Plus elle mangeait, meilleur c'était. Elle avait l'impression de pouvoir manger à n'en plus finir.

Maître Hora la regardait gentiment et eut assez de tact pour ne pas la déranger par une conversation. Il comprenait fort bien que son invitée avait à rattraper toutes ces années pendant lesquelles elle avait souffert de la faim. C'est peut-être la raison pour laquelle ses traits revieillirent peu à peu jusqu'à ce qu'il redevînt de nouveau un homme aux cheveux blancs. Ayant compris que Momo n'avait pas l'habitude de se servir d'un couteau, il tartina les petits pains et les posa sur l'assiette devant elle. Lui-même ne mangea presque rien, juste pour tenir compagnie à Momo.

Le moment où Momo n'eut plus faim arriva malgré tout. En buvant le reste de son chocolat, elle lança un regard investigateur à son hôte par-dessus le bord de sa tasse en or. Qui pouvait-il bien être ? Elle avait compris que ce n'était pas quelqu'un d'ordinaire. Mais, pour le moment, elle ne connaissait que son nom.

« Pourquoi est-ce que tu m'as fait chercher par la tortue ? lui demanda-t-elle en reposant sa tasse.

— Pour te protéger des messieurs en gris, répondit Maître Hora d'un ton grave. Ils te cherchent partout et ce n'est qu'ici, chez moi, qu'ils ne peuvent rien contre toi.

— Mais est-ce qu'ils me veulent du mal ?

— Oh oui ! mon enfant, soupira Maître Hora, c'est bien le moins que l'on puisse dire.

— Et pourquoi ?

— Ils ont peur de toi. Tu leur as fait subir ce qu'il y a de pire pour eux, expliqua Maître Hora.

— Je ne leur ai rien fait, dit Momo.

— Mais si. Tu as amené l'un d'entre eux à se trahir. Ensuite, tu as tout raconté à tes amis. Vous aviez même l'intention de faire connaître à tout le monde la vérité sur les messieurs en gris. Ne crois-tu pas que c'est suffisant pour t'en faire des ennemis mortels ?

— Mais la tortue et moi, nous avons traversé

toute la ville, objecta Momo. S'ils m'avaient vraiment cherchée partout, ils n'auraient dû avoir aucun mal à me trouver. De plus, nous marchions si lentement. »

La tortue s'était installée aux pieds de son maître, qui la prit sur ses genoux et lui caressa le cou.

« Qu'en penses-tu, Kassiopeïa ? lui demanda-t-il. Auraient-ils pu vous rattraper ? »

Le mot : « JAMAIS » apparut sur la carapace, comme écrit avec un rire étouffé.

« Kassiopeïa arrive à prédire l'avenir un tout petit peu, expliqua Maître Hora, pas beaucoup, mais tout de même une demi-heure environ.

— EXACTEMENT ! vit-on s'inscrire sur la carapace.

— Pardon, se reprit Maître Hora, donc une demi-heure exactement. Elle sait toujours à l'avance ce qui se passera dans la demi-heure qui suivra. Elle sait donc aussi, par exemple, si elle rencontrera les messieurs en gris ou non.

— Tiens, mais c'est drôlement pratique, dit Momo. Si elle sait à l'avance qu'elle risque de rencontrer les messieurs en gris, elle prend tout simplement un autre chemin ?

— Cela n'est malheureusement pas aussi simple. Comme elle ne sait, à l'avance, que ce qui arrivera vraiment, elle ne peut rien y changer. Donc, si elle sait qu'elle rencontrera les messieurs en gris à tel ou tel endroit, eh bien, elle les rencontrera réellement.

— Je ne comprends pas, dit Momo un peu déçue.

182

Dans ce cas, ça ne sert à rien de savoir les choses à l'avance.

— Parfois si, répondit Maître Hora. En ce qui te concerne, par exemple, elle savait quel chemin prendre *sans* rencontrer les messieurs en gris. Tu ne trouves pas que c'est déjà quelque chose ? »

Momo se tut. Ses pensées s'emmêlaient comme les fils embrouillés d'une pelote de laine défaite.

« Pour en revenir à toi et à tes amis, continua Maître Hora, je vous dois tous mes compliments. J'ai été très impressionné par vos affiches et inscriptions.

— C'est vrai que tu les as lues ? demanda Momo toute contente.

— Oui, toutes, et chaque mot, répondit Maître Hora.

— Malheureusement, personne d'autre ne les a lues, je crois », ajouta Momo.

Maître Hora l'approuva :

« C'est vrai, malheureusement. Les messieurs en gris avaient bien conduit leur affaire.

— Est-ce que tu les connais bien ? » insista Momo.

Tout en soupirant, Maître Hora fit un signe de tête :

« Je les connais et ils me connaissent. »

Momo trouva cette réponse peu satisfaisante.

« Est-ce que tu as déjà été souvent chez eux ?

— Non, jamais encore. Je ne quitte jamais cette maison.

— Et les messieurs en gris, viennent-ils te voir parfois ? »

Maître Hora sourit :

« Ne t'en fais pas, ma petite Momo. Ils ne peuvent pas pénétrer dans cette maison, même s'ils connaissaient le chemin qui conduit à la ruelle Hors-du-temps. Mais ils ne le connaissent pas. »

Momo réfléchit pendant un moment. Les explications de Maître Hora la tranquillisaient, bien sûr, mais elle avait tout de même envie d'en savoir un peu plus long sur lui.

« D'où est-ce que tu sais tout cela ? reprit-elle. Je veux dire l'histoire des affiches et des messieurs en gris ?

— Je les surveille constamment, eux et tout ce qui se rapporte à eux. Je t'ai donc aussi surveillée, toi et tes amis.

— Mais tu m'as dit que tu ne sortais jamais de ta maison !

— Grâce à mes lunettes magiques, ce n'est pas nécessaire », dit Maître Hora qui rajeunissait de nouveau à vue d'œil.

Il enleva ses petites lunettes en or et les donna à Momo.

« Est-ce que tu as envie de les essayer ? »

Momo mit les lunettes, cligna des yeux, se mit à loucher et dit :

« Moi, je ne vois rien du tout. »

Elle ne voyait, en effet, qu'un tourbillon de couleurs, de lumières et d'ombres, au point d'en avoir le vertige.

« Oui, oui, c'est ce qui se passe au début, la rassura Maître Hora. Ce n'est pas si simple que ça de voir à travers mes lunettes magiques, mais tu t'y habitueras très vite. »

Il se leva, se mit derrière Momo et posa doucement ses mains sur les branches des lunettes. Aussitôt, l'image devint bonne.

D'abord, Momo vit le groupe des messieurs en gris avec leurs trois voitures, à la limite du quartier à la lumière étrange ; ils étaient en train de pousser leurs véhicules.

Plus loin, dans les rues de la ville, elle vit d'autres groupes qui discutaient entre eux en faisant de grands gestes. Ils avaient l'air de transmettre un message important.

« Ils parlent de toi, expliqua Maître Hora. Ils ne peuvent pas comprendre comment tu as pu leur échapper.

— Pourquoi leurs visages sont-ils si gris ? voulut savoir Momo tout en continuant à regarder.

— Parce qu'ils se nourrissent de la mort d'autrui. Tu sais bien qu'ils vivent du temps qui appartient aux hommes pendant leur vie. Mais ce temps meurt — au vrai sens du mot — lorsqu'il est dérobé à son propriétaire. Chaque être humain possède *son* temps à lui, qui ne reste vivant que pour autant qu'il en dispose librement.

— Les messieurs en gris ne sont donc pas des êtres humains ?

— Non, ils en ont seulement pris l'aspect. En réalité, ils ne sont rien.

« — Et d'où viennent-ils ?

— Ce sont les hommes eux-mêmes qui leur donnent la possibilité d'exister. Et non contents de cela, les hommes en font également leurs bourreaux.

— Et si les messieurs en gris ne pouvaient plus voler le temps ?

— Ils devraient retourner là d'où ils viennent, c'est-à-dire au néant. »

Maître Hora reprit à Momo les lunettes et les mit dans sa poche.

Après quelques instants, il dit :

« Hélas ! ils ont déjà beaucoup de collaborateurs parmi les hommes.

— Moi, dit Momo d'un air décidé, je ne permettrai à personne de me voler mon temps !

— Je l'espère bien ! approuva Maître Hora. Viens maintenant, Momo, que je te montre ma collection. »

Il prit Momo par la main et l'amena dans la grande salle pour lui présenter toutes ses montres. Il mit les mouvements en marche, expliqua à Momo les planétariums, et le plaisir que prenait sa petite invitée à regarder toutes ces merveilles rajeunit de nouveau Maître Hora.

« Est-ce que tu aimes jouer aux devinettes ? demanda-t-il tout en continuant la visite.

— Oh ! oui. J'aime bien ! répondit Momo. Est-ce que tu en connais une ? »

Maître Hora sourit et fit oui de la tête.

« Mais elle est très difficile, dit-il. La plupart des gens n'arrivent pas à la trouver.

— Tant mieux ! Je la retiendrai et je la poserai, plus tard, à mes amis.

— Je suis vraiment curieux de voir si tu arriveras à la trouver, reprit Maître Hora. Écoute bien :

Dans une maison habitent trois frères,
Qui n'ont pas du tout le même air.
Mais si tu veux faire la différence entre eux,
Aux deux autres ressemble chacun d'eux.
Le premier est sorti, il va rentrer.
Le second n'est pas là, il vient de s'en aller.
Le plus petit, le troisième, est là.
Car sans lui, les deux autres n'existeraient pas.
Mais pour que le troisième soit au monde,
Il faut que le premier au second se confonde.
Parce que si tu veux regarder le troisième,
Tu ne verras jamais que le premier ou le deuxième.
Livre-moi maintenant le secret du message :
Est-ce que les trois ne sont qu'un personnage ?
Ne sont-ils que deux, ou n'existent-ils pas ?
Enfant, quand tu les nommeras,
Tu reconnaîtras trois maîtres à la grande puissance
Qui règnent, de concert, sur un empire immense.
Cet empire, c'est eux-mêmes, ensemble.
Voilà pourquoi ils se ressemblent. »

Maître Hora regarda Momo et fit un signe encourageant de la tête. Elle avait écouté très attentivement. Comme elle avait une excellente mémoire, elle répéta la devinette, lentement, mot à mot.

« Ah ! là ! là ! soupira-t-elle. C'est vraiment difficile ! Je n'ai pas la moindre idée de ce que cela pourrait être. Je ne sais même pas par où commencer.

— Allez ! Essaie ! » dit Maître Hora.

Momo répéta encore une fois le tout, mais à voix basse, comme pour elle-même.

« Non, non et non ! dit-elle. Je n'y arriverai pas. »

Pendant ce temps, la tortue s'était approchée d'eux. Elle s'était assise à côté de Maître Hora et cherchait à capter le regard de Momo.

« Alors, Kassiopeïa, dit Maître Hora, toi qui sais toujours tout une demi-heure à l'avance : est-ce que Momo trouvera la solution ?

— ELLE TROUVERA. » Cette affirmation apparut sur la carapace.

« Tu vois, Momo, tu réussiras, dit Maître Hora. Kassiopeïa ne se trompe jamais ! »

Momo fronça les sourcils et se mit de nouveau à réfléchir avec la plus grande concentration. A quel genre pouvaient bien appartenir ces trois frères qui habitaient ensemble dans une maison ? Il était évident qu'il ne s'agissait pas d'êtres humains. Les frères dont il est question dans les devinettes sont, généralement, des pépins de pommes, des dents ou n'importe quoi d'autre, à condition d'appartenir à la même espèce. Ici, il s'agissait de trois frères qui, d'une certaine façon, se transformaient l'un en l'autre. Qu'est-ce que cela pouvait bien donner quand ils se transformaient de la sorte ? Momo promena son regard autour d'elle. Voici, par exemple, ces bougies dont les flammes sont immobiles. Grâce à la flamme, la cire se transforme en lumière. Cela faisait bien trois frères. Mais ce n'était sûrement pas ça, car ils étaient toujours présents, tous trois en même temps, alors que deux devaient être absents. Et si c'était quelque chose comme la fleur, le fruit, le grain de semence ? Ça semblait, en effet, assez juste. Le grain était le plus petit des trois. Quand il était là, les deux autres n'y étaient pas. Et sans lui, les deux autres n'existeraient pas. Mais ce n'était encore pas ça, puisque l'on peut très bien regarder un grain de semence et ne voir que lui, alors que la devinette dit que l'on voit toujours l'un des deux autres lorsqu'on regarde le plus petit des trois.

Les pensées de Momo allaient en tous sens. Impossible de trouver un fil conducteur. Mais Kassiopeïa avait bien dit que Momo finirait par trouver la bonne solution. Elle recommença donc encore une fois à se répéter lentement toute la devinette.

Comme elle disait : « Le premier est sorti, il va rentrer... », elle remarqua que la tortue lui faisait un clin d'œil. Un « CE QUE JE SAIS ! » apparut sur la carapace pour disparaître aussitôt.

« Kassiopeïa, ne souffle pas ! dit Maître Hora avec un petit sourire. Momo saura très bien se débrouiller toute seule. »

Momo avait lu les mots sur la carapace et se demandait ce que cela pouvait bien vouloir signifier. Qu'est-ce que Kassiopeïa savait ? Elle savait que Momo trouverait la solution, mais cela n'avait aucun sens.

Que savait-elle encore ? Elle savait toujours tout ce qui allait arriver. Elle savait...

« L'avenir ! s'écria Momo. Le premier est sorti, il va rentrer — c'est l'avenir ! »

Maître Hora fit oui de la tête.

« Et le second n'est pas là, il vient de s'en aller — c'est donc le passé ! »

Avec un grand sourire, Maître Hora fit encore oui de la tête.

« Mais c'est maintenant que ça devient difficile, dit Momo, pensive. Qui peut bien être ce troisième ? Il est le plus petit des trois, mais sans lui, il n'y aurait pas les deux autres. Et il est le seul qui est là. »

Elle réfléchit encore et s'exclama tout d'un coup :

« Mais ici et maintenant ! C'est cet instant ! Le passé, ce sont les instants passés, et l'avenir, ceux qui vont venir ! Il n'y aurait donc ni l'un ni l'autre, s'il n'y avait pas le présent ! Ça, c'est juste ! »

Momo avait les joues rouges d'excitation. Elle continua :

« Mais la suite, qu'est-ce que cela veut dire ? "Mais pour que le troisième soit au monde, il faut que le premier au second se confonde..." Ça veut dire qu'il n'y a le présent que parce que l'avenir se transforme en passé ! »

Toute surprise, elle regarda Maître Hora :

« Mais c'est vrai. Et je n'y avais jamais pensé ! L'instant n'existe donc pas vraiment, il n'y a que le passé et l'avenir ? Par exemple : cet instant, pendant que j'en parle, il appartient déjà au passé.

190

Maintenant, je comprends ce que veut dire la suite : parce que si tu veux regarder le troisième, tu ne verras jamais que le premier ou le deuxième. Et tout le reste, c'est-à-dire : Est-ce que les trois ne sont qu'un seul personnage ? Ne sont-ils que deux ou n'existent-ils pas ? Ah ! là ! là ! Ça me donne le tournis !

— Mais ce n'est pas fini, dit Maître Hora. Quel est le grand empire sur lequel ils règnent tous trois en commun, et cet empire, c'est eux-mêmes ensemble ? »

Découragée, Momo le regarda. Qu'est-ce que cela pouvait bien être ? Le passé, le présent et l'avenir, tous ensemble ? Soudain, les milliers de montres qui l'entouraient parurent lui dire quelque chose, une étincelle brilla dans ses yeux :

« Le temps ! s'écria-t-elle en frappant dans ses mains. C'est le temps ! Ce ne peut être que le temps !

— Et pour terminer, dis-moi encore quelle est la maison dans laquelle habitent les trois frères, lui demanda Maître Hora en l'encourageant.

— C'est le monde », répondit Momo.

Maître Hora applaudit :

« Bravo ! Tout mon respect, Momo ! Tu t'y connais quand il est question de résoudre une énigme ! Cela a été pour moi un vrai plaisir !

— Pour moi aussi », répondit Momo.

Mais, en elle-même, elle ne comprenait pas très bien pourquoi son exploit avait fait tellement plaisir à Maître Hora.

Ils continuèrent leur promenade dans la grande salle, au milieu des montres. Maître Hora lui montra tel objet rare ou tel autre, mais Momo restait préoccupée par cette devinette.

« Au fond, qu'est-ce que le temps ? finit-elle par lui demander.

— Tu viens juste de trouver toi-même la réponse à ta question, lui répondit Maître Hora.

— Non, je veux dire le temps lui-même, expliqua Momo. Puisqu'il existe, qu'est-ce qu'il est, en réalité ?

— Comme ce serait bien si tu pouvais encore trouver la réponse toi-même », dit Maître Hora.

Momo réfléchit longuement.

« Une chose est certaine : il existe, finit-elle par dire comme si elle se parlait à elle-même. Mais on ne peut ni le toucher, ni le retenir. Et s'il était comme un parfum... Mais comme il passe sans cesse, il faut bien qu'il vienne de quelque part. Peut-être est-ce quelque chose comme le vent ? Non, maintenant, j'ai trouvé : c'est une sorte de musique qu'on n'entend plus, parce qu'elle ne s'arrête jamais. Pourtant, il me semble l'avoir entendue, parfois, très doucement.

— Je le sais, dit Maître Hora, et c'est ce qui m'a permis de t'appeler.

— Mais il doit y avoir autre chose encore, murmura Momo qui suivait toujours le fil de ses pensées. La musique venait de très loin, mais elle résonnait au plus profond de moi-même. C'est peut-être pareil pour le temps. » Elle se tut comme si tout s'était embrouillé, puis elle ajouta. « Je veux dire, comme le vent fait naître les vagues sur l'eau... Mais tout ce que je raconte n'a sûrement ni queue ni tête. »

Maître Hora n'était pas de cet avis :

« Tout ce que tu as dit me plaît beaucoup. Et c'est pourquoi je veux te confier un secret : le temps vient de la maison de Nulle-Part, qui se trouve dans la ruelle Hors-du-temps. »

Momo le regarda, pleine d'admiration.

« Ah ! dit-elle, est-ce que tu le fabriques toi-même ? »

Maître Hora sourit :

« Non, mon enfant, je n'en suis que l'administrateur. Je suis chargé de confier à chaque être humain un temps déterminé.

— Est-ce qu'il ne te serait pas possible d'empêcher, tout simplement, les messieurs en gris de voler le temps aux hommes ?

— Non, cela n'est pas en mon pouvoir, répondit Maître Hora. Je ne peux que leur donner leur temps. Ensuite, c'est à eux de décider comment l'utiliser. Par conséquent, c'est à eux aussi qu'il revient de protéger leur temps contre les voleurs. »

Momo regarda de nouveau autour d'elle et demanda :

« C'est pour ton travail que tu as besoin de toutes ces montres ? Une pour chacun ?

— Non, Momo, cette collection de montres, c'est ma marotte. Elles ne sont que la reproduction très imparfaite de ce que tout homme cache dans sa poitrine. De même qu'il a des yeux pour voir la lumière et des oreilles pour entendre les sons, de même il a un cœur pour percevoir le temps. Et le temps qui n'est pas perçu avec le cœur est perdu tout comme sont perdues, pour l'aveugle, les couleurs de l'arc-en-ciel ou le chant des oiseaux pour un sourd. Il y a, hélas ! des cœurs sourds et aveugles qui ne perçoivent rien, et pourtant ils battent.

— Et lorsque mon cœur s'arrêtera, un jour, de battre... ? demanda Momo.

— A ce moment, le temps aussi s'arrêtera pour toi, lui répondit Maître Hora. Tu reprendras le chemin au travers du temps en sens inverse, à travers toutes tes journées, tes nuits, tes mois, tes années, toute ta vie, jusqu'à ce que tu arrives au grand portail d'argent par lequel tu es entrée. Et tu t'en iras par là.

— Et qu'est-ce qu'il y a de l'autre côté ?

— Cette musique si douce que tu as entendue parfois, c'est de là qu'elle vient. Tu seras toi aussi cette musique, tu en seras un des sons. »

Il scruta le visage de Momo :

« Mais peut-être ne peux-tu pas encore comprendre ce que je veux dire...

— Si, dit Momo tout bas, je crois bien que si. »

Elle se rappela la ruelle Hors-du-temps où elle avait dû marcher à reculons pour pouvoir avancer, et elle dit :

« Serais-tu la mort ? »

Maître Hora sourit et mit un certain temps à répondre :

« Si les hommes savaient ce qu'est la mort, ils n'en auraient pas peur. Et s'ils n'en avaient pas peur, personne ne réussirait plus à leur voler le temps à vivre qui leur est destiné.

— On n'a qu'à le leur dire ! suggéra Momo.

— Tu crois ? dit Maître Hora. Je le leur dis avec chaque heure que je leur donne. Mais je crains qu'ils n'aient pas envie de l'entendre. Ils préfèrent croire ceux qui leur font peur. C'est encore là une énigme.

— Moi, je n'ai pas peur », dit Momo.

Maître Hora paraissait perdu dans ses réflexions. Après un long moment, il regarda Momo et lui demanda si elle avait envie de voir d'où vient le temps.

Momo fit oui de la tête.

« Je vais t'y conduire, dit Maître Hora. Mais c'est un lieu où il faut se taire, ne rien demander, ne rien dire. Tu me le promets ?

— Oui », chuchota Momo.

Maître Hora s'inclina vers elle, la souleva et la prit dans ses bras. Momo eut alors l'impression qu'il était très grand et infiniment vieux ; pas comme un vieil homme, mais comme un arbre séculaire ou un rocher. Ensuite, il lui couvrit les yeux de sa main, et ce fut comme si de la neige fraîche et légère lui caressait la figure.

Momo avait l'impression que Maître Hora longeait avec elle un couloir long et obscur. Mais elle n'avait pas peur, se sentant si bien protégée. Au début, elle crut entendre les battements de son propre cœur ; en réalité, c'était l'écho des pas de Maître Hora.

Le chemin était long. Mais, à un moment donné, ils parurent être enfin arrivés, car Maître Hora déposa Momo sur le sol. Son visage tout près du sien, il la regarda, les yeux grands ouverts et un doigt sur les lèvres. Puis il se redressa et fit un pas en arrière.

L'obscurité avait fait place à un crépuscule doré.

Petit à petit, Momo se rendit compte qu'elle se trouvait sous une coupole parfaitement ronde, qui semblait être aussi grande que la voûte céleste. Cette énorme coupole était de l'or le plus pur.

A travers une ouverture en forme de cercle, tout en haut et au centre, un faisceau lumineux tombait verticalement sur une pièce d'eau de même circonférence et dont l'eau noire était immobile et lisse comme un miroir.

Juste au-dessus de l'eau, quelque chose brillait comme une étoile à l'intérieur de la colonne de lumière. Cette chose bougeait avec une lenteur empreinte de majesté. Momo comprit qu'il s'agissait d'un balancier extraordinaire, allant et venant au-dessus du miroir noir. Ce balancier n'était suspendu nulle part ; il planait et ne paraissait pas soumis aux lois de la pesanteur.

En s'approchant très lentement du bord de la pièce d'eau, le balancier faisait pousser une fleur merveilleuse qui s'épanouissait sur l'eau et parvint à une floraison maximale au moment où le balancier fut tout près d'elle.

Momo n'avait jamais rien vu d'aussi magnifique que cette fleur aux couleurs éclatantes. Le balancier s'arrêta quelques instants au-dessus de la fleur. Ce spectacle fascina Momo au point de lui faire oublier tout ce qui était autour d'elle. Il lui sembla aussi qu'elle avait toujours éprouvé le besoin lancinant de respirer le parfum de cette fleur, cette fleur qu'elle n'avait jamais connue auparavant.

Puis le balancier reprit son mouvement et s'éloigna lentement. Momo découvrit alors avec tristesse que la fleur merveilleuse commençait à se faner. Un pétale après l'autre se détacha et tout disparut dans les sombres profondeurs. Momo ressentit cette disparition aussi douloureusement que la perte de quelque chose d'irremplaçable.

Lorsque le balancier se retrouva au-dessus du centre de la pièce d'eau, il ne restait plus rien de la fleur somptueuse ; mais un bouton sortait de l'eau du côté opposé et cette fleur fut encore mille fois plus belle que l'autre. Momo s'approcha pour l'admirer de près. Elle était entièrement différente de la première, peut-être encore plus précieuse et riche de couleurs, son parfum était plus enivrant. Plus Momo la regardait, plus elle découvrait de détails merveilleux.

Mais d'elle aussi, le balancier s'éloigna, et toute cette splendeur s'effaça, se désagrégea et sombra, pétale après pétale, dans les profondeurs insondables de l'eau.

Lentement, le balancier reprit son chemin, lentement, il s'approcha du côté opposé, et le miracle se reproduisit. Cette fleur parut à Momo être vraiment la plus belle de toutes. Une véritable splendeur !

Momo faillit se mettre à sangloter en voyant se faner et disparaître ce qui lui paraissait être l'absolue perfection. Mais heureusement, elle se souvint de la promesse faite à Maître Hora et garda le silence.

En attendant, le balancier avait rejoint la rive opposée, et une fleur nouvelle émergea des eaux profondes.

Momo finit par comprendre qu'aucune des fleurs ne ressemblait aux autres, et que la dernière lui apparaissait toujours comme la plus belle. En poursuivant sa ronde autour de l'eau, elle regarda les fleurs naître et mourir ; elle avait l'impression qu'elle ne se lasserait jamais de ce spectacle.

Mais dans ce lieu étrange, il se passait autre chose encore que Momo mit un certain temps à découvrir.

Non seulement on pouvait voir le faisceau lumineux, mais on pouvait aussi l'entendre ! Au début, Momo perçut comme un bruissement léger du vent dans les arbres. Mais bientôt ce bruissement s'amplifia jusqu'à ressembler au mugissement d'une cataracte ou au grondement des vagues qui se brisent contre les rochers.

Petit à petit, Momo distingua dans ce grondement apparemment informe un nombre infini de sons qui semblaient obéir à une certaine loi selon laquelle ils s'ordonnaient entre eux pour former constamment de nouvelles harmonies. Une musique à la fois étrange et familière ! N'était-ce pas là la musique très douce et très lointaine qu'elle avait entendue parfois, seule, dans le silence de la nuit étoilée ?

Momo comprit, de façon mystérieuse, que cette musique de plus en plus claire et resplendissante était à l'origine de toutes ces fleurs uniques et inimitables.

Cette musique ne ressemblait pas aux voix humaines, mais c'était comme si l'argent et tous les autres métaux s'étaient mis à chanter ensemble. Puis d'autres voix vinrent s'y ajouter, des voix très différentes, inimaginablement lointaines et d'une puissance indescriptible. Momo finit par distinguer des mots. Ils appartenaient à une langue qu'elle n'avait jamais entendue et qu'elle comprenait pourtant. Le soleil, la lune, les planètes et toutes les étoiles révélaient leur secret et disaient comment, tous ensemble, ils faisaient naître et mourir chacune des fleurs éphémères. Momo comprit soudain que tous ces mots lui étaient adressés, à elle ! L'univers entier, jusqu'aux étoiles les plus éloignées, était tourné vers elle et lui parlait.

Un sentiment plus grand et plus profond que la peur l'envahit.

A cet instant, elle aperçut Maître Hora qui lui faisait signe de le rejoindre. Elle se précipita dans ses bras et blottit sa tête contre sa poitrine. Avec la douceur de la neige, Maître Hora posa ses mains sur les yeux de Momo qui retrouva le bien-être dans le silence et l'obscurité.

Lorsqu'ils eurent regagné la petite pièce entourée de pendules, Maître Hora coucha Momo sur le canapé.

« Maître Hora, dit Momo tout bas, je ne savais pas que le temps de tous les hommes était... » Elle eut du mal à trouver le mot juste et finit par dire : « était si grand.

— Ce que tu as vu et entendu, ce n'était pas le temps de tous les hommes, dit Maître Hora. Ce n'était que ton temps à toi. Ce lieu, que tu viens de découvrir, existe en tout homme. Mais il faut pouvoir s'abandonner dans mes bras pour l'atteindre. Et l'on ne peut pas le voir avec des yeux ordinaires.

— Mais où ai-je donc été ?

— Dans ton propre cœur, lui répondit Maître Hora tout en caressant la chevelure noire ébouriffée de la petite fille.

— Maître Hora, est-ce que tu permets que j'amène aussi mes amis ?

— Non, répondit-il, pas encore.

— Et combien de temps puis-je rester chez toi ?

— Jusqu'à ce que tu aies envie de retrouver tes amis.

— Est-ce que tu me permets de raconter aux autres ce que les étoiles ont dit ?

— Je te le permets, mais tu n'y arriveras pas.

— Et pourquoi ?

— Parce que les mots pour le dire n'existent pas encore en toi !

— Mais j'aimerais tellement en parler, en parler

à tous ! J'aimerais pouvoir leur chanter toutes ces voix ! Il me semble qu'alors tout s'arrangerait et redeviendrait comme avant.

— Si cela te tient vraiment à cœur, il faut que tu saches attendre.

— Moi, je sais attendre ! Cela ne me dérange pas !

— Il faudra savoir attendre, mon enfant, comme la graine doit dormir sous la terre pendant toute une année solaire avant d'éclore. C'est de ce temps-là que les mots justes auront besoin pour pouvoir naître en toi. Le veux-tu vraiment ?

— Oui, je le veux, chuchota Momo.

— Alors, dors ! dit Maître Hora en passant doucement sa main sur les yeux de Momo. Dors ! »

Et, après une inspiration profonde, heureuse, Momo s'endormit.

Troisième Partie

Les fleurs éphémères

13

Là-bas, un jour, ici, un an

Momo ouvrit les yeux, elle se réveillait.

Elle mit un moment avant de se rappeler où elle était. Elle ne comprenait pas comment elle était arrivée sur les gradins de l'amphithéâtre alors que, quelques instants auparavant, elle se trouvait encore chez Maître Hora dans la maison de Nulle-Part.

Il faisait noir et frais. Le jour se levait à peine. Momo frissonna et s'enveloppa encore un peu plus dans son veston trois fois trop grand pour elle.

Elle se rappelait très précisément tout ce qui s'était passé : la marche nocturne à travers la grande ville derrière la tortue, le quartier éclairé par une lumière étrange et les maisons d'un blanc éblouissant, la ruelle Hors-du-temps, la salle aux innombrables montres, le chocolat et les petits pains au miel. Elle se souvenait aussi de chaque mot de la conversation qu'elle avait eue avec Maître Hora et de la devinette qu'il lui avait posée. Mais elle se souvenait surtout de ce qu'elle avait vécu sous la coupole d'or. Elle n'avait qu'à fermer les yeux pour qu'apparaissent les fleurs merveilleuses. Et elle fredonnait le chant du soleil, de la lune et des étoiles qui s'était gravé dans sa mémoire.

En même temps se formaient en elle les mots pour décrire le parfum des fleurs avec leurs couleurs encore jamais vues. Les voix de sa mémoire devinrent des mots ; il se passait quelque chose d'étrange avec sa mémoire. Momo ne retrouvait pas seulement ce qu'elle avait vu et entendu, mais bien plus encore. Comme si elles sortaient d'un puits magique inépuisable, des milliers de fleurs éphémères apparurent, chacune accompagnée de mots nouveaux. Momo n'avait qu'à écouter attentivement ce qui se passait en elle et répéter ces mots. Il était question de choses mystérieuses et merveilleuses qu'il lui suffisait de répéter pour les comprendre.

Elle comprenait enfin ce que Maître Hora avait cherché à lui expliquer.

Et si tout cela, finalement, n'avait été qu'un rêve ? Et si tout cela ne s'était pas réellement passé ?

Tout en réfléchissant à ces questions, Momo vit bouger quelque chose au milieu de la place ronde. C'était la tortue qui, tranquillement, était à la recherche d'herbes comestibles.

Momo se dépêcha de la rejoindre et s'accroupit à côté d'elle. La tortue leva la tête, regarda Momo un instant de son œil si vieux, si noir et continua à brouter.

« Bonjour, tortue ! » dit Momo.

Sur la carapace, pas de réponse.

« C'est bien toi qui m'as amenée cette nuit chez Maître Hora ? » demanda Momo.

Toujours pas de réponse. Déçue, Momo soupira.

« Dommage ! Tu n'es donc qu'une tortue tout à fait ordinaire et pas la... Oh ! j'ai oublié son nom. C'était un joli nom que je n'avais encore jamais entendu. »

Subitement « KASSIOPEÏA » apparut en lettres faiblement lumineuses sur la carapace. Momo déchiffra le nom avec ravissement.

« Oui ! s'écria-t-elle, c'était bien ce nom-là ! Alors, c'est tout de même bien toi ? Tu es la tortue de Maître Hora, n'est-ce pas ?

— QUI VEUX-TU QUE JE SOIS D'AUTRE ?

— Mais pourquoi tu ne m'as pas répondu tout de suite ?

— JE DÉJEUNE, fut la réponse que Momo déchiffra sur la carapace.

— Pardon ! dit Momo, je ne voulais pas te déranger. Je voulais seulement savoir comment je suis revenue ici.

— TU L'AS VOULU !

— C'est étrange, murmura Momo, je n'en ai aucun souvenir. Et toi, Kassiopeïa, pourquoi es-tu venue avec moi au lieu de rester chez Maître Hora ?

— JE L'AI VOULU !

— Comme tu es gentille ! Merci beaucoup !

— DE RIEN ! » apparut sur la carapace. Pour le moment, la tortue ne semblait pas avoir envie de prolonger la conversation, car elle se mit en route pour continuer son repas.

Momo s'installa sur les gradins ; elle se faisait une joie de revoir Beppo, Gigi et les enfants. Elle ne cessait d'écouter la musique, qui était en elle, et finit par joindre sa jeune et belle voix à ce chant mystérieux, comme si elle avait envie qu'au moins les oiseaux, les cigales, les arbres et même les vieilles pierres puissent l'entendre, puisqu'il n'y avait personne d'autre.

Elle ne pouvait savoir que, pendant très long-temps, elle n'aurait pas d'autres auditeurs. Elle ne pouvait pas savoir, non plus, qu'elle attendait ses amis en vain, que son absence avait été très longue et que le monde avait changé depuis.

Les messieurs en gris n'avaient pas eu trop de mal avec Gigi.

Peu après la disparition de Momo, il y avait maintenant un an environ, ils avaient publié un article assez important sur Gigi dans un journal, article intitulé « Le dernier conteur authentique ». De plus, on expliquait aux lecteurs où et quand on pouvait le rencontrer et que c'était là une curiosité à ne manquer sous aucun prétexte.

Cette publicité avait amené de plus en plus de monde à l'amphithéâtre, tous ces gens désirant voir et entendre Gigi. Bien entendu, celui-ci n'était pas contre. Il racontait, comme d'habitude, ce qui lui venait à l'esprit ; ensuite, il présentait sa casquette où tombaient monnaie et billets ; chaque fois, il y en avait plus. Gigi fut bientôt engagé par une agence de voyages qui, pour s'assurer de l'exclusivité

de son spectacle, lui versa un supplément d'hono-
raires. On fit venir les touristes par autocars, et,
rapidement, Gigi dut observer un emploi du temps
très strict pour que tous ceux qui avaient payé
soient en mesure de l'entendre.

Depuis l'absence de Momo, l'imagination de Gigi
manquait d'envolée. Il se refusait pourtant à raconter deux fois la même histoire, même si on lui
proposait des ponts d'or.

Après quelques mois, il n'eut plus besoin de se
produire dans l'amphithéâtre et de tendre sa casquette. La radio, puis la télévision vinrent le solli-
citer ; c'est là que désormais il raconta ses histoires
à des millions d'auditeurs trois fois par semaine et
il gagna beaucoup d'argent.

Il n'habitait plus près de l'amphithéâtre, mais
dans le quartier des gens riches et célèbres. Il avait
loué une grande maison moderne, au milieu d'un
parc bien entretenu. Il ne s'appelait plus Gigi, mais
Girolamo.

Bien entendu, ses histoires se ressemblaient
maintenant de plus en plus. Il n'avait plus le temps
de s'abandonner à son imagination.

Finalement, ne sachant plus comment suffire à la
demande, il eut le tort de raconter une histoire qu'il
avait inventée pour Momo toute seule.

L'avidité des gens était sans limites. Et Gigi,
débordé par cette exigence, sans s'en rendre compte,
finit par raconter toutes les histoires appartenant à
Momo. Ayant raconté la dernière, il se retrouva

brusquement la tête vide ; il avait l'impression de ne plus pouvoir inventer quelque chose de nouveau.

De peur de perdre sa réputation, il reprit toutes ses anciennes histoires en changeant simplement quelques détails. Et, chose incroyable, personne ne paraissait s'en apercevoir. Il était toujours aussi demandé.

Telle fut sa planche de salut. Maintenant, il était riche et célèbre. N'était-ce pas là ce dont il avait toujours rêvé ?

Mais parfois, la nuit, couché dans ses draps de soie, Gigi avait la nostalgie de Momo, de Beppo et des enfants pour lesquels il pourrait encore et indéfiniment inventer de nouvelles histoires.

Comme Momo restait introuvable, il n'y avait guère d'espoir de recommencer cette vie-là. Au début, Gigi avait fait quelques tentatives pour la retrouver, mais, par la suite, le temps lui manqua. Il employait maintenant trois secrétaires, qui rédigeaient ses contrats, auxquelles il dictait ses histoires, qui s'occupaient de sa publicité et de son emploi du temps. Celui-ci ne lui laissait aucune possibilité de rechercher Momo.

Il ne restait plus grand-chose de l'ancien Gigi. Mais, un beau jour, il eut envie de se retrouver lui-même. Il prit conscience de ce que des millions de gens l'écoutaient, et qu'il était peut-être donc le seul à pouvoir leur dire la vérité sur les messieurs en gris. Il profiterait de cette situation pour lancer un appel à ses auditeurs et leur demander de l'aider à retrouver Momo.

Il avait pris cette décision au cours d'une de ces nuits nostalgiques et, dès l'aube, il s'installa à son grand bureau pour prendre des notes relatives à son plan. Mais avant d'avoir écrit le premier mot, le téléphone sonna. Il décrocha, écouta et fut glacé par la peur.

Une voix étrangement sourde et grise s'adressait à lui, et il fut simultanément envahi d'une froideur terrifiante.

« Ne touche pas à ça ! dit la voix. C'est un bon conseil que je te donne !

— Qui êtes-vous ? demanda Gigi.

— Tu le sais très bien, répondit la voix. Inutile, je pense, de me présenter. Jusqu'à maintenant, tu n'as pas encore eu le plaisir de nous rencontrer personnellement, mais ça fait longtemps que tu nous appartiens, de la tête aux pieds. Cela aussi, tu le sais très bien. Ton projet nous déplaît. Sois raisonnable, abandonne-le, tu veux bien ? »

Gigi prit son courage à deux mains.

« Non, dit-il, je ne l'abandonnerai pas. Je ne suis plus le petit Gigi guide, que personne ne connaissait. Maintenant, je suis un homme célèbre. Nous verrons bien si vous serez assez forts pour rivaliser avec moi. »

Un horrible rire sourd se fit entendre, et Gigi se mit à claquer des dents.

« Tu n'es personne, dit la voix. C'est nous qui t'avons fabriqué. Tu n'es qu'une poupée gonflable, gonflée par nous. Mais, si tu nous embêtes, nous te dégonflerons. Ou crois-tu vraiment que tu es un

211

homme célèbre grâce à toi-même et à tes maigres talents ?

— Oui, je le crois.

— Pauvre petit Gigi, reprit la voix, tu es et tu resteras toujours un fantaisiste. Dans le temps, tu étais le prince Girolamo sous le masque de Gigi, le pauvre diable. Et, aujourd'hui, tu es Gigi, le pauvre diable, sous le masque du prince Girolamo. Cela dit, tu devrais nous être reconnaissant, car si tes rêves se sont réalisés, c'est grâce à nous.

— Ce n'est pas vrai ! C'est un mensonge, dit Gigi.

— On aura tout vu ! répondit la voix, phrase ponctuée par l'horrible rire sourd. C'est toi qui veux nous faire la leçon ! Quand je pense à tout ce que tu pouvais raconter sur le vrai et le faux ! Non, non, pauvre Gigi, de te référer à la vérité, cela te va mal et ne te réussira pas. C'est grâce à nous que tu es célèbre pour tes histoires fantaisistes. La vérité n'est pas ton fort. Alors, n'y touche pas !

— Qu'est-ce que vous avez fait de Momo ? demanda timidement Gigi.

— Ne te casse pas ta mignonne petite tête à son sujet. Tu ne peux plus l'aider, surtout pas en racontant cette histoire sur nous. Tu ne réussirais qu'à perdre ta grande notoriété aussi vite que tu l'as obtenue. Bien entendu, c'est à toi de décider si tu veux jouer au héros et te ruiner. Ce n'est pas à nous de t'en empêcher. Mais tu ne devras pas t'attendre à ce que nous continuions à te protéger

212

malgré ton ingratitude. N'est-il pas bien plus agréable d'être riche et célèbre ?

— Si, répondit Gigi d'une voix étouffée.

— Voilà qui est sage ! Tu ne t'occuperas pas de nous, d'accord ? Tu continueras gentiment à raconter tes histoires aux gens comme avant.

— Mais après tout ce que je viens d'apprendre, comment est-ce que j'y arriverai ? se força à dire Gigi.

— Je te conseille de ne pas te prendre tellement au sérieux. Tu n'as vraiment pas une telle importance dans tout cela. Vu sous cet angle, je ne vois pas ce qui t'empêcherait de continuer comme avant.

— Oui..., vu sous cet angle... », murmura Gigi.

A l'autre bout, la voix raccrocha, et Gigi en fit autant. Il se mit à sangloter en silence.

A partir de ce jour, Gigi perdit toute estime pour lui-même. Il renonça à son projet et continua comme auparavant, mais avec le sentiment d'être un imposteur. Jusque-là, il s'était laissé entraîner sans problème par son imagination exubérante, alors que maintenant, il n'était plus qu'un menteur !

Il faisait le pantin, le clown pour plaire à son public, mais il n'en était plus dupe. Comme il finit par haïr son travail, ses histoires devenaient de plus en plus bébêtes ou larmoyantes. Mais son succès n'en devenait que plus retentissant. Les gens saluèrent comme un style nouveau ce qui lui faisait honte. Beaucoup cherchaient à l'imiter. Gigi, c'était la grande mode. Mais lui-même n'y trouvait aucun plaisir. Depuis qu'il savait à qui il devait sa vie actuelle, il lui semblait non seulement n'avoir rien gagné, mais, au contraire, avoir tout perdu.

Mais il continua à mener cette vie harassante, d'un rendez-vous à l'autre, en voiture ou en avion. Sous sa dictée, les secrétaires tapaient, sans s'arrêter, les vieilles histoires un peu remaniées. Dans tous les journaux, on parlait de son « étonnante créativité ».

C'est ainsi que Gigi le rêveur s'était transformé en Girolamo le menteur.

Les messieurs en gris avaient eu beaucoup plus de mal à se débarrasser du vieux Beppo, Beppo le balayeur.

Depuis la fameuse nuit de la disparition de Momo, Beppo s'installait, aussi souvent que son travail le lui permettait, sur les gradins de l'amphithéâtre pour attendre la petite fille. De jour en jour, il devenait plus soucieux et inquiet. A la fin, n'en pouvant plus, il décida de prévenir la police, en dépit des objections justifiées de Gigi quant à cette démarche.

« Il vaut mieux que Momo se retrouve dans une de ces institutions avec des barreaux aux fenêtres, se dit-il, plutôt que d'être prisonnière des messieurs en gris, au cas où elle serait encore en vie. Elle s'est déjà évadée une fois d'une de ces maisons, et elle pourra recommencer. Peut-être même réussirai-je à ce que l'on ne l'enferme pas. Mais il s'agit d'abord de la retrouver. »

Beppo se rendit donc au commissariat le plus

214

proche. Il hésita un moment avant de trouver le courage d'y entrer.

« Vous désirez ? » lui demanda le policier tout en continuant à remplir un formulaire long et compliqué.

Beppo mit un certain temps avant de répondre :

« C'est qu'il a dû se passer quelque chose de terrible.

— Tiens ? dit le policier qui écrivait toujours. Et de quoi s'agit-il ?

— Il s'agit de notre Momo, répondit Beppo.

— Un enfant ?

— Oui, une petite fille.

— Votre enfant ?

— Non, dit Beppo un peu troublé, c'est-à-dire oui, mais je ne suis pas le père.

— Non, c'est-à-dire oui, fit le policier irrité. Alors, c'est l'enfant de qui ? Qui sont ses parents ?

— Personne ne le sait, répondit Beppo.

— Où est-ce que cette enfant est inscrite ?

— Inscrite ? demanda Beppo. Eh bien, je pense chez nous. Nous la connaissons tous.

— Elle n'est donc *pas* inscrite, soupira le policier. Est-ce que vous savez que cela est interdit ? Autrement, comment voulez-vous qu'on s'en sorte ? Cette enfant habite chez qui ?

— Chez elle, c'est-à-dire dans le vieil amphithéâtre. Mais elle n'y habite plus maintenant. Elle a disparu.

— Attendez ! dit le policier. Si j'ai bien compris, une petite fille en vagabondage appelée..., comment dites-vous ?

215

— Momo.

— Donc, cette petite fille habitait jusqu'à présent là-bas, dans la ruine. »

Le policier se mit à tout noter.

« Momo comment ? Donnez-moi son nom de famille, je vous prie.

— Momo, c'est tout », dit Beppo.

Le policier regarda Beppo d'un air attristé.

« Mon bon monsieur, déposer une plainte dans ces conditions, ce n'est pas possible. Je veux bien vous aider, mais, pour commencer, dites-moi votre nom, je vous prie.

— Beppo.

— Et puis ?

— Beppo, balayeur des rues.

— C'est votre nom que je veux savoir, pas votre profession !

— C'est les deux à la fois », expliqua gentiment Beppo.

Le policier posa son porte-plume sur la table et, désespéré, cacha son visage dans ses mains.

« Mon Dieu ! Qu'est-ce que j'ai fait pour être de service juste maintenant ! » grommela-t-il.

Il se redressa, gonfla sa poitrine, adressa un sourire encourageant à Beppo et lui dit avec la douceur d'un infirmier :

« Nous nous occuperons plus tard de l'état civil. Racontez-moi d'abord dans l'ordre tout ce qui s'est passé et comment c'est arrivé.

— Vraiment tout ? demanda Beppo.

— Tout ce qui est en rapport avec cette affaire,

216

répondit le policier. A vrai dire, je n'ai absolument pas le temps ; il faut que cette montagne de formulaires soit remplie à midi, je suis à la limite de mes forces et à bout de nerfs — mais ne vous pressez pas et racontez-moi ce qui vous tourmente. »

Il s'appuya contre le dossier de sa chaise et, en fermant les yeux, prit l'air d'un martyr sur des charbons ardents. Et, selon sa manière bizarre et compliquée, Beppo raconta toute l'histoire, en commençant par l'arrivée de Momo à l'amphithéâtre et la description de ses qualités exceptionnelles, continuant par la description des messieurs en gris à la décharge publique et par tout ce à quoi il avait assisté.

« Et c'est cette même nuit que Momo a disparu », dit-il pour terminer.

Le policier le regarda longuement d'un air affligé, mais finit par se ressaisir :

« Autrement dit, il était une fois une petite fille absolument invraisemblable dont on ne peut prouver l'existence et qui aurait été enlevée par des espèces de fantômes, dont tout le monde sait qu'ils n'existent pas. Mais même cela n'est pas certain. Et vous voudriez que la police s'en occupe ?

— Oui, s'il vous plaît ! » dit Beppo.

Le policier approcha sa figure de celle du vieil homme et lui dit brusquement :

« Soufflez ! »

Sans comprendre à quoi cela pouvait bien servir, Beppo s'exécuta.

Le policier renifla et parut satisfait :

« Apparemment, vous n'êtes pas ivre.

— Non, dit Beppo, gêné au point de rougir, ça ne m'est encore jamais arrivé.

— Alors, pourquoi me racontez-vous toutes ces absurdités ? demanda le policier. Croyez-vous la police suffisamment stupide pour se laisser avoir par vos histoires à dormir debout ?

— Oui », répondit Beppo naïvement.

A bout de patience, le policier se leva d'un bond et frappa du poing un grand coup sur la table.

« Cela suffit maintenant ! s'écria-t-il, rouge de colère. Fichez-moi le camp, et tout de suite ! Sinon, je vous enfermerai pour outrages à agent de la force publique !

— Excusez-moi, murmura Beppo intimidé, ce n'est pas ce que je voulais dire. Je voulais...

— Sortez ! » hurla le policier.

Et Beppo s'en alla.

Pendant les jours qui suivirent, il essaya de plaider sa cause auprès de différents commissariats. Mais partout cela se déroulait à peu près comme la première fois. Ou bien on le mettait brutalement à la porte, ou bien on le renvoyait aimablement chez lui, ou encore on lui promettait de s'occuper ultérieurement de son affaire, rien que pour se débarrasser de lui.

Mais un jour, Beppo eut affaire à un fonctionnaire d'un grade plus élevé qui n'avait pas le même sens de l'humour que ses collègues. Sans broncher, il écouta l'histoire d'un bout à l'autre puis dit d'un ton glacial :

« Ce vieil homme est fou. En attendant de savoir s'il est dangereux, mettez-le dans une cellule ! »

Après une demi-journée d'attente dans la cellule, deux policiers firent monter Beppo dans une voiture qui traversa toute la ville. Ils s'arrêtèrent devant un grand bâtiment blanc avec des barreaux aux fenêtres. Beppo pensait que c'était la prison, mais c'était un hôpital psychiatrique.

Il fut minutieusement examiné. Le professeur et les infirmiers étaient gentils ; ils ne se moquèrent pas de lui et ne lui firent pas de remontrances. Ils paraissaient beaucoup s'intéresser à son histoire, car on ne cessait de lui demander de la raconter encore une fois. Personne ne la mit en doute, mais Beppo n'eut pourtant jamais l'impression d'être pris au sérieux. Il ne savait que penser de tous ces gens-là qui ne le laissaient pas repartir.

Lorsqu'il leur demandait quand il pourrait enfin s'en aller, on lui répondait toujours : « Bientôt, mais pour le moment, nous avons encore besoin de vous. Nos investigations ne sont pas encore terminées, mais ça avance ! »

Dans sa naïveté, Beppo crut qu'il s'agissait d'investigations pour retrouver Momo ; il prit donc son mal en patience.

Beppo dormait dans un dortoir. Une nuit, il se réveilla et se rendit compte que quelqu'un se tenait debout à côté de son lit. La faible lumière de la veilleuse ne lui permit que de distinguer l'extrémité rouge d'un cigare allumé, mais, petit à petit, il constata que la personne qui se tenait à côté de lui portait un chapeau melon et un porte-documents. Il comprit que c'était un des messieurs en gris. Un grand froid l'envahit, et il fut sur le point d'appeler au secours.

« Silence ! lui intima la voix sourde. J'ai ordre de vous faire une proposition. Écoutez-moi bien et ne me répondez que lorsque je vous y inviterai. Vous avez eu largement l'occasion de vous rendre compte de l'étendue de notre pouvoir. C'est à vous de savoir si vous voulez en connaître davantage. Que vous racontiez cette histoire à qui veut l'entendre, cela ne nous fait aucun mal, mais pas particulièrement plaisir non plus. D'ailleurs, il est parfaitement exact que votre petite amie Momo est notre prisonnière. Mais renoncez à l'espoir de la retrouver chez nous. Vos tentatives pour la libérer ne facilitent nullement la vie de cette pauvre enfant. Tout au contraire, elle doit payer pour chacune de vos initiatives. Désormais, vous feriez bien de réfléchir à ce que vous avez l'intention de dire et de faire. »

Le monsieur en gris constata avec satisfaction l'effet de son discours sur Beppo qui le crut sur parole. Pour son propre plaisir, le monsieur en gris envoya dans l'air quelques cercles de fumée.

« Comme mon temps est précieux, soyons brefs ! continua-t-il. Voici ma proposition : nous vous rendons l'enfant à condition que vous ne disiez plus jamais rien de nos activités. De plus, nous exigeons une rançon : cent mille heures de temps économisé. La manière dont nous entrerons en possession de ce temps nous concerne nous seuls, ce n'est pas votre affaire. A vous la tâche d'économiser ce temps. Vous verrez bien comment y parvenir. Si vous acceptez ma proposition, nous ferons le nécessaire pour vous faire partir d'ici très prochainement. Sinon, vous y resterez pour toujours, et Momo, elle, restera pour toujours chez nous. Réfléchissez bien. Nous ne vous ferons pas une deuxième fois cette proposition. Alors ? »

La bouche toute sèche, Beppo articula d'une voix rauque :

« D'accord.

— C'est bien, dit le monsieur en gris visiblement satisfait. Donc, n'oubliez pas : silence absolu plus cent mille heures. Dès que nous les aurons en notre possession, nous vous rendrons la petite Momo. Bonne chance, mon brave ! »

Le monsieur en gris quitta le dortoir.

A partir de cette nuit-là, plus jamais Beppo ne raconta son histoire. Lorsqu'on lui en demandait la raison, il ne faisait que hausser tristement les épaules. Peu de jours après, on le renvoya chez lui.

Mais, au lieu de rentrer, Beppo alla directement au grand bâtiment dans la cour duquel on distribuait, à lui et à ses collègues, brouettes et balais. Il prit son balai, se rendit en ville et se mit à balayer.

Seulement, ce n'était plus comme avant, quand Beppo, à chaque pas, prenait sa respiration et donnait un coup de balai. Il se dépêchait pour gagner du temps et n'éprouvait plus aucun plaisir à faire son travail. Il se sentait terriblement coupable d'avoir ainsi trahi les idées les plus profondes qu'il avait sur la vie et éprouvait un véritable dégoût pour ce qu'il faisait.

S'il n'y avait eu que lui, il eût préféré mourir de faim plutôt que de se trahir de la sorte. Mais il devait payer la rançon pour la libération de Momo, et il ne connaissait pas d'autre moyen pour gagner du temps.

Il balaya jour et nuit sans jamais rentrer chez lui. Quand il était trop épuisé, il s'asseyait sur un banc ou sur le bord du trottoir pour dormir un peu. Mais, très vite, il était de nouveau debout et recommençait à balayer. De temps à autre, il avalait rapidement quelque nourriture et ne revint jamais à sa cabane, près de l'amphithéâtre.

Beppo balaya pendant des semaines, pendant des mois. Il y eut l'automne, il y eut l'hiver, Beppo balayait toujours.

Puis ce fut le printemps et de nouveau l'été. Beppo n'eut pas le temps de le remarquer. Il balayait pour économiser les cent mille heures de la rançon.

Les gens de la grande ville n'avaient pas le temps de s'occuper de ce petit vieillard, et les quelques personnes qui lui accordaient un peu d'attention étaient persuadées que ce petit vieux qui n'arrêtait pas de balayer n'était qu'un pauvre fou. Beppo s'y était depuis longtemps habitué et ne s'en formalisait pas. Ce n'était que lorsqu'on lui demandait pourquoi il était si pressé qu'il s'arrêtait un instant ; il

regardait son interlocuteur d'un air triste et tour-
menté, lui faisant comprendre qu'il était contraint
au silence.

Pour réaliser leur perfide projet, les messieurs en
gris devaient s'attaquer également aux enfants amis
de Momo, ce qui présentait les pires difficultés.

Après la disparition de Momo, les enfants avaient
continué à se rassembler dans l'amphithéâtre le
plus souvent possible. Leur imagination leur inspi-
rait des jeux toujours nouveaux. Pour entreprendre
de fabuleux tours du monde ou édifier des châteaux
forts, quelques vieilles caisses ou boîtes faisaient
merveille. Les enfants avaient continué à échafau-
der de grands projets et à se raconter des masses
d'histoires. Bref, ils se comportaient comme si
Momo était encore parmi eux. Et à la longue, tout
se passait presque comme si Momo était réellement
là.

En outre, ces enfants n'avaient jamais douté du
retour de leur amie. Ils n'en parlaient jamais, mais
une certitude tacite les unissait. Momo faisait partie
d'eux, elle était leur centre d'attraction secret, peu
importait sa présence réelle.

Les messieurs en gris tentaient vainement d'arrêter les enfants.

A défaut de pouvoir les séparer de Momo, ils se
servirent des adultes pour atteindre leur but, mais,
par bonheur, certains ne s'y prêtèrent pas ; toutefois,
la majorité était disposée à collaborer avec eux. Les

messieurs en gris n'eurent, dès lors, aucun mal à battre les enfants avec leurs propres armes.

Comme par hasard, certaines personnes se rappelèrent les manifestations, les affiches et les inscriptions des enfants.

« Il faut trouver une solution, disait-on, pour tous ces enfants livrés à eux-mêmes. C'est intolérable. Nous n'accusons pas les parents auxquels la vie moderne ne laisse plus le temps de s'occuper de leur progéniture. Il faut donc que la municipalité s'en charge.

— Il n'est plus possible que des enfants en vagabondage continuent à perturber la circulation en ville, disaient les autres. Les accidents qu'ils provoquent nous coûtent de plus en plus d'argent dont on pourrait faire un usage plus rationnel.

— Les enfants non surveillés sombrent dans la déchéance morale et la délinquance, déclarait-on également. La municipalité doit se saisir de tous ces enfants. Il faut créer des institutions où on leur apprendra à deviner des membres utiles et efficaces au sein de la société.

— Les enfants représentent le matériel humain de l'avenir, expliquaient d'autres personnes. L'avenir, ce sera les avions à réaction et les cerveaux électroniques. On aura donc besoin d'une armée de spécialistes pour s'occuper de toutes ces machines. Au lieu de préparer nos enfants au monde de demain, nous témoignons de notre inconscience en tolérant qu'ils gaspillent leur temps en se livrant à des jeux stupides. C'est une honte pour notre civilisation, un crime à l'égard de l'humanité future. »

Tous les épargnants de temps souscrivirent à ces propos à l'unanimité. Déjà très nombreux dans cette grande ville, ils n'eurent aucun mal à persuader la municipalité de faire quelque chose pour les enfants abandonnés.

Dans tous les quartiers, on installa en toute hâte des établissements nommés « dépôts pour enfants ». C'étaient de grandes maisons où il fallait déposer les enfants dont personne n'avait le temps de s'occuper et que l'on reviendrait chercher selon la disponibilité des parents. Il était strictement interdit aux enfants de jouer où que ce soit. Si un enfant était surpris en flagrant délit, aussitôt quelqu'un l'amenait au plus proche dépôt. Et les parents devaient s'attendre à payer une amende importante.

Les amis de Momo n'échappèrent pas, hélas ! à ce nouveau règlement. On les séparait, selon les quartiers où ils habitaient, pour les mettre dans les dépôts correspondants. Il n'était plus question d'inventer des jeux utiles et instructifs. Bien entendu, les enfants oublièrent très vite ce qu'étaient la joie, l'enthousiasme, le rêve.

A la longue, ils prirent l'aspect de petits épargnants de temps. Ils faisaient ce que l'on exigeait d'eux, mais on lisait constamment dans leurs yeux le déplaisir, l'ennui et l'hostilité. Quand il leur arrivait, ce qui était très rare, d'être livrés à eux-mêmes, ils ne savaient plus quoi faire, leur imagination s'était tarie.

Faire du bruit était pour eux, semblait-il, la seule issue à cette situation insupportable. C'était par ce bruit qu'ils exprimaient leur fureur avec violence.

Les messieurs en gris s'étaient organisés pour ne jamais entrer personnellement en contact avec les enfants. Ils avaient enserré la ville dans un réseau apparemment indéchirable, et même les enfants les plus malins n'arrivaient pas à se glisser au travers des mailles. Les messieurs en gris avaient donc réalisé leur projet. Tout était prêt pour le retour de Momo.

Plus personne ne se rendait à l'amphithéâtre.

Et voici donc Momo, assise sur les gradins, attendant ses amis. Toute la journée, elle avait attendu, mais personne n'était venu, absolument personne.

Le soleil allait se coucher, les ombres s'allongeaient, il commençait à faire froid.

Finalement, Momo se leva. Comme personne ne lui avait rien apporté à manger, elle avait faim. Cela ne lui était encore jamais arrivé. Beppo comme Gigi semblaient l'avoir oubliée aujourd'hui. Mais Momo se consola en imaginant un empêchement quelconque.

Elle rejoignit la tortue qui s'était déjà retirée sous sa carapace pour dormir. Momo s'accroupit auprès d'elle et frappa tout doucement. L'animal sortit sa tête pour regarder Momo.

« Pardonne-moi de t'avoir réveillée, lui dit celle-ci, mais c'est pour que tu me dises pourquoi aucun de mes amis n'est venu me voir aujourd'hui.

— TOUS PARTIS », apparut sur la carapace.

Momo ne comprit pas le vrai sens de ces mots.

« Ah bien ! dit-elle d'un ton optimiste, tout s'expliquera demain, quand ils reviendront.

— PLUS JAMAIS », fut la réponse.

Pendant un bon moment, Momo ne put détacher ses yeux effrayés de la carapace.

« Qu'est-ce que tu veux dire exactement ? demanda-t-elle, angoissée. Qu'est-ce qui se passe avec mes amis ?

— TOUS PARTIS », réapparut sur la carapace.

Momo fit non de la tête et dit tout bas :

« Ce n'est pas possible, tu te trompes sûrement, Kassiopeïa. Hier, ils étaient encore tous ici pour la grande manifestation malheureusement ratée.

— TU AS DORMI LONGTEMPS. »

Momo se rappela les mots de Maître Hora. Quand elle avait accepté de dormir pendant un cycle solaire, comme un grain de semence dans la terre, elle ne s'était pas rendu compte du temps que cela représentait. Maintenant, elle s'en doutait.

« Combien de temps ? murmura-t-elle.

— UN AN ET UN JOUR. »

Momo eut du mal à comprendre.

« Mais Beppo et Gigi m'attendent, j'en suis sûre », bégaya-t-elle.

Et voici qu'apparut encore : « TOUS PARTIS. »

« Comment est-ce possible ? Tout ce qui a été ne

peut pas avoir disparu, comme ça, tout simplement... »

Momo était au bord des larmes.

« PASSÉ » apparut maintenant sur la carapace.

Pour la première fois de sa vie, Momo ressentit profondément le sens véritable de ce mot et elle eut le cœur gros.

« Et moi, alors ? dit-elle, désarçonnée, je suis encore là, moi... »

Elle aurait voulu pleurer, mais n'y parvint pas.

Après quelques instants, elle sentit la tortue toucher son pied.

« JE SUIS AVEC TOI ! » Tel était le message.

« Oui, tu es avec moi, Kassiopeïa, dit Momo avec un petit sourire courageux. Et je suis heureuse d'être avec toi. Viens, on va aller se coucher. »

Elle prit la tortue dans ses bras et l'emmena dans sa chambre. A la lumière des derniers rayons du soleil, Momo constata que tout y était en place, comme avant. Avant de disparaître, Beppo avait remis la chambre en ordre. Mais partout, il y avait de la poussière et des toiles d'araignée.

Sur la petite table, une lettre était posée, recouverte, elle aussi, de toiles d'araignée, et sur laquelle était écrit : « *Pour Momo.* »

Momo sentit son cœur battre très fort. Elle n'avait encore jamais reçu de lettre. Après l'avoir inspectée de tous les côtés, elle l'ouvrit et en sortit un bout de papier.

Elle se mit à lire :

« Chère Momo, j'ai déménagé. Au cas où tu reviendrais, je te prie de m'en avertir au plus vite. Je suis très inquiet à ton sujet. Tu me manques beaucoup. J'espère qu'il ne t'est rien arrivé de grave. Si tu as faim, va voir Nino. Il m'enverra la note et je la paierai.

Donc, mange tant que tu voudras, tu entends ? Nino te mettra au courant de tout. Garde-moi toute ton affection ! Je te garde la mienne !

Toujours

ton GIGI. »

Bien que Gigi se fût, de toute évidence, donné beaucoup de mal pour écrire lisiblement, Momo mit très longtemps pour déchiffrer cette lettre. Lorsqu'elle eut fini, la chambre était plongée dans l'obscurité.

Momo était consolée.

Elle posa la tortue à côté d'elle dans son lit et, tout en s'enveloppant dans la couverture poussiéreuse, elle dit tout bas :

« Tu vois, Kassiopeïa, je ne suis quand même pas seule. »

Mais la tortue dormait déjà. En lisant la lettre, il avait semblé à Momo qu'elle voyait et entendait Gigi auprès d'elle. Il ne lui vint pas à l'esprit que cette lettre l'attendait depuis un an ou presque.

Momo appuya sa joue sur le papier. Elle n'avait plus froid maintenant.

14

Trop de nourriture,
réponses insuffisantes

Le lendemain à midi, Momo, la tortue sous le bras, se mit en route pour aller voir Nino.

« Tu verras, Kassiopeïa, dit-elle, maintenant, tout va s'expliquer. Nino sait où se trouvent Gigi et Beppo. Après, nous irons chercher les enfants, et puis nous serons tous réunis, comme avant. Nino et sa femme, et tous les autres viendront peut-être, eux aussi. Je suis sûre que tu aimeras mes amis. Ce soir, on pourrait donner une petite fête. Je leur parlerai des fleurs, de la musique, de Maître Hora, de tout et de tout ! Qu'est-ce que je suis contente de les revoir tous ! Mais, maintenant, j'ai très faim et je me réjouis à l'avance de faire un bon déjeuner. »

Momo bavardait gaiement tout en marchant. Elle vérifiait à tout instant si elle avait bien dans sa poche la lettre de Gigi. La tortue la regardait de temps à autre de son œil vieux comme le monde, mais elle ne disait rien.

Momo se mit d'abord à chantonner, puis à chanter. Les mélodies et les mots de la veille s'étaient, à tout jamais, gravés dans sa mémoire. Momo savait qu'elle ne les oublierait plus.

Mais elle s'arrêta brusquement et crut s'être trompée de chemin. Pourtant, au-dessus de la porte d'entrée était écrit en toutes lettres :

SELF-SERVICE DE NINO

La vieille maison et sa tonnelle avaient été remplacées par un grand cube de béton aux vastes baies vitrées. La rue avait été goudronnée, et la circulation était importante. Face au restaurant de Nino, une station-service avait été installée ainsi que des parkings et un grand immeuble plein de bureaux. De nombreuses voitures stationnaient devant le self-service.

En entrant dans le restaurant, Momo se sentit un peu perdue. Côté fenêtre, il y avait une quantité de tables, hautes sur pattes, qui ressemblaient à des champignons bizarres. Seuls des adultes pouvaient y manger, à condition de rester debout, car il n'y avait pas de chaises.

De l'autre côté, une longue barrière de métal clinquant était fixée devant des vitrines contenant des sandwiches au jambon ou au fromage, des saucisses, des salades, des crèmes au caramel, des gâteaux de toutes sortes et d'autres mets que Momo ne connaissait pas.

Cette salle était bourrée de monde qui semblait gêné par la présence de Momo. Où qu'elle se trouvât, on la bousculait ; tantôt elle avançait, tantôt elle reculait. La plupart des gens se livraient à des acrobaties avec de petits plateaux chargés d'assiettes et de bouteilles ; ils cherchaient désespérément une place. Derrière ceux qui avalaient leur nourriture, d'autres attendaient leur tour. Çà et là, ceux qui attendaient et ceux qui mangeaient échangeaient des propos peu aimables. De manière générale, les gens ne paraissaient pas très heureux.

Entre la barrière métallique et les vitrines, une longue queue s'étirait. En passant, les gens prenaient des assiettes, des bouteilles ou des gobelets en carton.

Momo était fascinée. Ici, chacun pouvait donc prendre ce qu'il voulait. Elle ne voyait personne pour les en empêcher ou, tout au moins, pour les faire payer. Peut-être qu'ici tout était gratuit, ce qui expliquerait cette cohue.

Momo finit par découvrir Nino. Il était installé derrière une caisse, tout au bout des vitrines, et il enregistrait sans arrêt, encaissait l'argent et rendait la monnaie. C'est donc à lui que les gens payaient ce qu'ils avaient pris ! La barrière de métal les obligeait de passer à cette caisse avant de rejoindre leur table.

« Nino ! » s'écria Momo en cherchant à passer entre les gens et en agitant la lettre de Gigi.

Mais Nino ne l'entendait pas. La caisse faisait trop de bruit et accaparait toute son attention.

Courageusement, Momo enjamba la barrière et se faufila à travers la queue jusqu'à Nino. Il leva les yeux, car quelques personnes s'étaient mises à rouspéter.

En voyant Momo, il perdit soudainement son expression maussade.

« Momo ! s'écria-t-il, rayonnant comme autrefois. Tu es de retour ! Quelle surprise !

— Avancez ! s'écrièrent les gens. Cette enfant doit faire la queue comme tout le monde. Jouer des coudes pour avancer, c'est interdit, quelle gamine effrontée !

— Du calme ! dit Nino en levant les bras. Un peu de patience, s'il vous plaît !

— Alors n'importe qui peut faire n'importe quoi ! gueula l'un de ceux qui attendaient. Avancez ! Avancez ! Cette enfant a plus de temps que nous !

— Gigi paiera tout pour toi, Momo, chuchota Nino rapidement. Mange ce que tu veux, mais attends ton tour. Tu vois bien la réaction des gens ! »

Avant de pouvoir s'en rendre compte, Momo avait été repoussée à l'autre bout de la queue, obligée de faire comme tout le monde. Elle prit un plateau et un couvert. Lentement, elle fut poussée en avant. Comme elle avait besoin de ses deux mains pour tenir le plateau, elle installa dessus Kassiopeïa et disposa, autour de l'animal, tout ce qu'elle prit dans les vitrines.

Troublée par tout ce qui lui arrivait, Momo se composa un repas des plus hétéroclites : un morceau de poisson frit, une tartine de confiture, une saucisse, un petit pâté et un gobelet de limonade.

233

Kassiopeïa préféra se retirer sous sa carapace pour ne pas donner son avis. Lorsque Momo arriva enfin à la caisse, elle se dépêcha de demander à Nino s'il savait où était Gigi.

« Oui, répondit Nino, notre Gigi est devenu célèbre. Nous sommes tous fiers de lui, car, après tout, il est l'un des nôtres ! On le voit souvent à la télévision, et il parle aussi à la radio. On écrit souvent des articles sur lui dans les journaux. Dernièrement, deux journalistes sont venus me voir pour que je leur parle d'autrefois. je leur ai raconté l'histoire où Gigi...

— Dépêchez-vous ! Avancez ! s'écrièrent de nouveau les gens.

— Mais pourquoi est-ce qu'il ne vient plus ? demanda Momo.

— Ah ! tu sais, murmura Nino, un peu nerveux, c'est qu'il n'a plus le temps. Il a beaucoup de choses plus importantes à faire qu'avant, et, de toute façon, il ne se passe plus rien à l'amphithéâtre.

— Qu'est-ce qui vous prend ? s'exclamèrent les mécontents. Est-ce que vous croyez que nous avons l'intention de passer notre vie ici ?

— Où est-ce qu'il habite maintenant ? insista Momo.

— Quelque part, sur la Colline verte, répondit Nino. Il a, paraît-il, une belle maison à lui, entourée d'un parc. Mais, s'il te plaît, avance maintenant ! »

Momo, qui aurait voulu encore savoir une quantité de choses, n'avait aucune envie de quitter Nino, mais le flot des gens la fit avancer. Avec son plateau, elle se dirigea vers une de ces petites tables-champignons et eut la chance de trouver rapidement une place. Il est vrai que la table était si haute que seul son nez dépassait le bord.

En voyant la tortue sur le plateau, les gens qui entouraient Momo ne cachèrent pas leur dégoût.

« Voilà ce qu'il faut supporter de nos jours ! » dit quelqu'un à son voisin.

Et celui-ci grommela :

« Qu'est-ce que vous voulez — la jeunesse d'aujourd'hui ! »

Mais en dehors de ces quelques remarques, personne ne prêta attention à Momo. Comme elle pouvait à peine voir ce qu'il y avait dans son assiette, elle eut quelque difficulté à manger. Elle avait pourtant tellement faim qu'elle finit tout ce qu'elle avait choisi.

Momo était bien décidée à ne pas repartir sans avoir des nouvelles de Beppo. Elle reprit donc la queue, une fois de plus. De crainte que les gens ne se fâchent si elle ne faisait pas comme eux, elle prit, en passant, encore toutes sortes de choses à manger dans les vitrines.

Se retrouvant enfin face à Nino, elle lui demanda vite où se trouvait Beppo.

« Il t'a attendue longtemps, expliqua Nino en toute hâte, pour ne pas déchaîner, une nouvelle fois, la colère des gens. Il s'est imaginé qu'il t'était arrivé quelque chose de terrible. Il était toujours question de messieurs en gris, mais je ne me rappelle plus. Tu sais comment il est, toujours un peu bizarre.

— Alors, vous deux, là-bas ! s'écria quelqu'un dans la queue. Est-ce que vous dormez ou quoi ?

— Tout de suite, monsieur ! dit Nino.

— Et puis ? continua Momo.

— Et puis, il s'est bagarré avec la police, reprit Nino de plus en plus énervé. Il voulait absolument que l'on te recherche. Je crois qu'ils l'ont mis finalement dans une maison de santé. Je n'en sais pas plus.

— Dites donc, vous, là-bas ! explosa quelqu'un, très en colère. Est-ce qu'on est ici dans un self-service rapide ou dans une salle d'attente ? Si ça se trouve, vous avez une réunion de famille, non ?

— Pour ainsi dire ! implora Nino.

— Est-ce qu'il est encore là-bas ? voulut savoir Momo.

— Je ne pense pas, dit Nino. C'est-à-dire qu'ils l'ont relâché, parce qu'il n'est pas dangereux.

— Mais où est-ce qu'il est maintenant ?

— Je n'en sais vraiment rien, Momo. Mais il faut que tu avances, je t'en supplie ! »

De nouveau, la foule poussait Momo par-derrière. De nouveau, elle dut trouver une place à une table pour avaler le repas qui était sur son plateau. Elle le trouva moins bon que le précédent, mais, bien entendu, elle ne se permit pas de ne pas tout manger.

Il lui manquait encore des renseignements sur les enfants, ses amis. Elle n'hésita donc pas à refaire la queue et à remplir pour la troisième fois son plateau en passant devant les vitrines, afin de ne pas provoquer la fureur des clients.

Arrivée auprès de Nino, elle lui demanda :

« Et les enfants ? Qu'est-ce qu'ils deviennent ?

— Rien n'est plus comme avant, expliqua-t-il tout en se mettant à suer sang et eau à la vue de Momo. Ce n'est pas le moment de t'expliquer tout ça. Tu vois bien ce qui se passe ici !

— Mais pourquoi ne viennent-ils plus me voir ? insista Momo.

— Depuis quelque temps, tous les enfants dont personne ne peut s'occuper sont mis dans des dépôts pour enfants. Ils n'ont plus le droit de faire ce qu'ils veulent, parce que... eh bien, parce que l'on s'occupe d'eux, c'est tout.

— Dépêchez-vous, espèce de blablateurs ! crièrent, une fois encore, les gens irrités. Nous avons bien le droit de manger, nous aussi !

— Mes amis ? demanda Momo, étonnée. C'étaient vraiment eux qui le voulaient ?

— On ne leur a pas demandé leur avis, répondit Nino qui tapait sauvagement sur la caisse enregistreuse. Les enfants sont incapables de prendre ce genre de décision. Ils ne traînent plus dans les rues et c'est bien là ce qui importe, n'est-ce pas ? »

Momo lança un regard scrutateur à Nino et ne dit plus rien.

Décidément, Nino était à bout. L'irritation de ses clients ne cessait de se manifester par des cris odieux, il ne savait plus comment y faire face.

« Et qu'est-ce que je dois faire maintenant ? chuchota Momo, seule, sans mes amis ?

— Momo, dit Nino en prenant beaucoup sur lui pour garder son calme, reviens quand tu voudras, mais en ce moment, je n'ai vraiment pas le temps de résoudre avec toi tes problèmes. Tu sais que tu peux toujours manger ici. Mais si j'étais toi, j'irais dans un de ces dépôts pour enfants comme les autres. Là, on s'occupera de toi et tu pourras même t'instruire. D'ailleurs, si tu continues à te promener toute seule un peu partout, on t'amènera, de toute manière, dans une de ces maisons. »

Momo ne pouvait que regarder Nino sans rien dire. La foule la poussait par-derrière. Comme un automate, elle se dirigea vers l'une des petites tables et, tout aussi automatiquement, elle ingurgita son troisième repas, ce qui était d'autant plus difficile que tout avait un goût de carton-pâte et de sciure. Elle finit par avoir mal au cœur.

Elle reprit alors Kassiopeïa sous le bras et, sans se retourner, elle s'en alla.

« Hé ! Momo ! appela Nino, attends un peu ! Tu ne m'as même pas raconté où tu étais pendant tout ce temps ! »

Mais la bousculade continuait ; l'un après l'autre, les gens se présentaient à la caisse, et Nino encaissait l'argent et rendait la monnaie à toute allure. Il n'avait plus son bon sourire.

De retour à l'amphithéâtre, Momo dit à Kassiopeïa :

« C'est vrai que j'ai eu beaucoup à manger, même

238

beaucoup trop. Malgré tout, j'ai le sentiment de ne pas être rassasiée. Il m'aurait été impossible de parler à Nino de la musique et des fleurs. » Et, après un moment, elle ajouta : « Demain, nous nous mettrons à la recherche de Gigi. Je suis sûre que tu l'aimeras, Kassiopeïa, tu verras ! »

Mais sur la carapace de la tortue n'apparut qu'un grand point d'interrogation.

15

Aussitôt retrouvé,
aussitôt perdu

Le lendemain, dès l'aube, Momo partit à la recherche de la maison de Gigi. Bien entendu, elle emportait la tortue avec elle.

Elle connaissait la Colline verte. C'était un quartier résidentiel, loin de l'amphithéâtre, mais proche des grands ensembles si monotones, de l'autre côté de la ville.

Le chemin à parcourir était long. Les pieds nus de Momo la faisaient souffrir quand elle arriva sur la colline.

Elle s'assit un instant sur le bord d'un trottoir pour se reposer.

Ce quartier était vraiment très distingué. Les rues, larges et propres, étaient presque vides. On apercevait les cimes d'arbres séculaires derrière les murs très hauts qui entouraient les parcs. Les maisons, luxueuses, étaient pour la plupart en verre et en béton. Des gazons, tondus à ras et du plus beau vert, invitaient, littéralement, à faire des galipettes. Mais il n'y avait personne nulle part.

« Si je savais comment faire pour trouver la maison de Gigi ! dit Momo à la tortue.

— TU LE SAURAS TOUT DE SUITE, fut la réponse qui apparut sur la carapace.

— Tu crois ? demanda Momo remplie d'espoir.

— Hé ! petite famine ! Qu'est-ce que tu fais par ici ? » demanda une voix non loin d'elle.

En se retournant, Momo se trouva face à un homme qui portait un gilet rayé très bizarre. Elle ignorait que c'était la livrée que portent les domestiques des gens riches.

« Bonjour, dit Momo, je cherche la maison de Gigi. Nino m'a dit qu'il habitait maintenant par ici.

— Tu cherches la maison de qui ?

— Celle de Gigi le guide. C'est mon ami. »

L'homme dévisagea Momo avec méfiance. A travers le portail entrouvert, la petite fille aperçut une vaste pelouse sur laquelle s'ébattaient quelques lévriers. Il y avait une jolie fontaine et, sur un arbre en fleur, un couple de paons s'était installé.

« Oh ! s'écria Momo, comme ces oiseaux sont jolis ! »

Elle s'apprêtait à entrer dans le jardin pour admirer les paons de plus près, mais l'homme au gilet l'agrippa par le col.

« Ne bouge pas ! Qu'est-ce qui te prend, sale gamine ! »

Après avoir relâché Momo, il s'essuya les mains

à son mouchoir, comme s'il avait été en contact avec quelque chose de franchement dégoûtant.

« Tout cela est à toi ? demanda Momo en désignant la propriété.

— Non, répondit l'homme au gilet, toujours aussi peu aimable. Fichez-moi le camp maintenant ! Ça va bien comme ça !

— Mais non, ça ne va pas du tout ! affirma Momo. Il faut que je trouve Gigi. Il m'attend. Tu ne le connais vraiment pas ?

— Il n'y a pas de guide ici », rétorqua l'homme en tournant le dos à Momo.

Au moment où il allait fermer le portail du jardin, une idée lui vint à l'esprit.

« Est-ce que tu ne chercherais pas Girolamo, le célèbre conteur ?

— Si, si, justement, Gigi le guide ! répondit Momo, ravie. Peux-tu me montrer sa maison ?

— C'est vrai qu'il t'attend ?

— Oui, absolument vrai, dit Momo. C'est mon ami et il paie tout ce que je mange chez Nino. »

L'homme au gilet paraissait avoir du mal à suivre les explications de Momo.

« Ces artistes, dit-il d'un ton aigre-doux, il leur arrive d'avoir de ces idées d'une extravagance... Mais si tu penses qu'il tient vraiment à te voir, sa maison est la dernière, tout au bout de la rue. »

Sur ce, il ferma le portail.

« GOMMEUX ! » apparut sur la carapace pour disparaître aussitôt.

La dernière maison de la rue était entourée d'un

mur immense. Il n'y avait ni sonnette, ni de nom indiqué sur le portail de fer massif.

« Je me demande si c'est vraiment la nouvelle maison de Gigi, dit Momo. Elle ne lui ressemble pas du tout.

— C'EST QUAND MÊME ÇA, déchiffra-t-elle sur la carapace.

— Pourquoi est-ce que tout est fermé ? demanda Momo. Je n'arriverai jamais à y entrer !

— ATTENDS ! fut la réponse.

— Ah ! là ! là ! soupira Momo, ça peut durer longtemps ! Comment Gigi pourrait-il savoir que je suis ici, en train de l'attendre, s'il est chez lui en ce moment.

— IL VIENDRA TOUT DE SUITE », affirma la carapace.

Momo s'installa donc par terre, devant le portail, et attendit. Le temps finit par lui sembler très long, et, pour la première fois, elle mit en doute les prédictions de Kassiopeïa.

« Est-ce que tu es vraiment tout à fait sûre de ce que tu dis ? » ne put-elle s'empêcher de lui demander.

En lieu et place de réponse apparut le mot : « ADIEU ! »

Momo eut très peur.

« Qu'est-ce que tu veux dire, Kassiopeïa ? Est-ce que tu veux encore me quitter ? Qu'est-ce que tu vas faire ?

— JE VAIS A TA RECHERCHE ! » fut la réponse, plus énigmatique que jamais.

A cet instant, une grande et belle voiture passa en trombe par le portail maintenant grand ouvert. Momo eut tout juste le temps de se sauver en faisant un bond en arrière, mais elle tomba.

La voiture s'arrêta avec un brusque coup de freins, Gigi en descendit.

« Momo ! s'écria-t-il en ouvrant tout grands ses bras. Voilà enfin ma petite Momo, ma Momo en chair et en os ! »

Momo se précipita dans les bras de Gigi qui la souleva, l'embrassa des milliers de fois sur les deux joues et se mit à tournoyer avec elle au milieu de la rue.

« Tu t'es fait mal ? demanda-t-il, mais sans attendre la réponse, il continua de parler, tout excité. Je regrette de t'avoir fait peur, mais je suis tellement pressé, tu sais ! Je suis déjà en retard ! Où étais-tu pendant tout ce temps ? Il faut que tu me racontes tout. Je ne croyais plus que tu reviendrais. As-tu trouvé ma lettre ? Elle était encore là-bas ? Tant mieux ! Est-ce que tu es allée manger chez Nino ? Est-ce que c'était bon ? Oh ! Momo, nous avons tant de choses à nous raconter ! Avec tout ce qui s'est passé depuis le temps... Comment vas-tu ? Mais dis quelque chose ! Et notre vieux Beppo, qu'est-il devenu ? Je ne l'ai pas revu depuis une éternité. Et les enfants ? Si tu savais, Momo, combien de fois je pense au temps où nous étions tous ensemble et que je vous racontais des histoires ! C'était le bon temps. Mais tout a changé depuis, tout a beaucoup, beaucoup changé ! »

Momo avait fait plusieurs tentatives pour répondre à Gigi. Mais comme celui-ci parlait sans arrêt, elle ne pouvait que le regarder en attendant son tour. Il avait changé ; il était bien habillé et sentait bon. Mais, d'une certaine manière, il lui était devenu étranger.

Pendant ce temps, quatre autres personnes étaient descendues de la voiture : un homme en uniforme de chauffeur et trois dames au visage dur que ne parvenait pas à adoucir un maquillage outrancier.

« L'enfant est-elle blessée ? voulut savoir l'une des trois.

— Non, absolument pas, affirma Gigi, elle a seulement eu peur.

— Quelle idée aussi de traîner devant ce portail ! remarqua la deuxième dame.

— Mais c'est Momo ! s'écria Gigi en riant. Ma vieille amie Momo !

— Cette fille existe donc réellement ? demanda avec étonnement la troisième. Je l'ai toujours prise pour une de vos inventions. Pourquoi ne le signalerait-on pas immédiatement aux journaux : "Retrouvailles avec la princesse des contes de fées" ou quelque chose dans ce genre. Un succès fou auprès des lecteurs ! Je vais m'en occuper immédiatement. Ce sera *la* sensation !

— Non, dit Gigi, je n'y tiens vraiment pas.

— Mais toi, ma petite fille, dit la première dame en s'adressant à Momo, tu aimerais sûrement voir ton nom dans les journaux, n'est-ce pas ?

— Fichez la paix à cette enfant ! »

245

Gigi était furieux.

La deuxième dame jeta un coup d'œil sur sa montre.

« Si nous ne voulons pas que notre avion nous passe sous le nez, il nous faut foncer immédiatement comme des dingues ! Rater l'avion, vous savez bien quelles en seraient les conséquences...

— Mon Dieu ! s'écria Gigi, très énervé, voilà que je ne peux même plus échanger quelques mots tranquillement avec mon amie ! Tu vois, Momo, comment elles me traitent, ces marchandes d'esclaves !

— Nous, on s'en moque ! rétorqua la deuxième dame d'un ton pointu. On ne fait rien d'autre que notre travail. C'est vous qui nous payez pour organiser votre horaire, cher maître !

— Oui, bien sûr, c'est vrai ! reconnut Gigi en baissant le ton. Alors, allons-y ! Tu viens avec nous à l'aéroport, Momo ? Nous pourrons parler pendant le trajet. Ensuite, mon chauffeur te ramènera chez toi. »

Sans attendre sa réponse, il fit monter Momo dans la voiture. Les trois dames s'installèrent à l'arrière ; Gigi s'assit devant, à côté du chauffeur, et prit Momo sur ses genoux. Et les voilà partis.

« Maintenant, raconte, Momo ! dit Gigi. Raconte tout, bien dans l'ordre. Pourquoi as-tu disparu si subitement ? »

A l'instant où Momo allait répondre, parler de Maître Hora et des fleurs éphémères, l'une des dames se pencha en avant.

« Excusez-moi, dit-elle, mais je viens d'avoir une idée formidable. Il faut absolument que nous présentions Momo à la Société de production. Le scénario de leur prochain film est une histoire de voyous, et Momo correspond exactement à la future enfant vedette qu'ils sont en train de chercher. Momo interprétant Momo, ce serait sensationnel !

— Est-ce que vous n'avez pas encore compris que je vous interdisais de mêler cette enfant à tout cela ? dit Gigi d'un ton cassant.

— Je ne vous comprends vraiment pas, lui répondit la dame, très vexée. Une occasion pareille ! N'importe qui s'en lécherait les babines !

— Je ne suis pas n'importe qui ! s'écria Gigi, hors de lui. Pardonne-moi, Momo, mais je ne veux absolument pas que cette racaille mette aussi la main sur toi ! »

Les dames se sentirent toutes trois profondément vexées.

En gémissant, Gigi sortit une petite boîte en argent d'une poche de son veston, prit une pilule et l'avala.

Il y eut quelques minutes de silence.

Puis, s'adressant aux trois dames, Gigi leur dit :

« Excusez-moi, ce n'est pas de *vous* que je parlais. Je me sens tout simplement à bout de nerfs.

— Mais oui, nous avons l'habitude, répondit la première dame.

— Et maintenant, continua Gigi avec un sourire un peu crispé qui s'adressait à Momo, eh bien, maintenant, nous ne parlerons plus que de nous deux.

— Avant qu'il ne soit trop tard, je voudrais juste poser encore une question, dit la deuxième dame. Est-ce que je ne pourrais pas interviewer rapidement cette enfant ?

— Assez ! hurla Gigi. C'est *moi* qui veux parler à Momo ! C'est important pour moi ! Je me demande combien de fois il faudra encore vous l'expliquer ?

— Vous me reprochez tout le temps de ne pas faire assez de publicité pour vous ! hurla la dame à son tour.

— C'est exact ! reconnut Gigi en gémissant. Mais pas maintenant ! *Pas maintenant !*

— Dommage ! dit la dame. C'est une histoire qui ferait verser des larmes ! Mais c'est comme vous voulez. Nous pourrons peut-être revenir là-dessus quand... »

Gigi était désespéré.

« Non ! s'écria-t-il. Moi, j'ai été pris au piège, mais pas Momo. Et maintenant, je vous en supplie, ne nous dérangez plus ! »

Les trois dames ne dirent plus rien. Gigi était visiblement épuisé.

« Tu vois où j'en suis, Momo ! » Il eut un petit sourire amer. « Même si je le voulais, je ne pourrais plus faire marche arrière. Je suis fichu ! "Gigi restera toujours Gigi !" tu te souviens ? Mais Gigi n'est pas resté Gigi. Tu sais, Momo, il n'y a rien d'aussi dangereux dans la vie que les fantasmes qui deviennent réalité. Je n'ai plus de quoi rêver. Même si je vivais de nouveau comme avant, je ne saurais plus rêver. J'en ai tellement assez de tout cela ! »

Avec mélancolie, Gigi regarda par la vitre.

« La seule chose qui me resterait à faire, ce serait ne plus jamais ouvrir la bouche, ne plus rien raconter, rester muet pour le restant de ma vie ou, du moins, jusqu'au moment où personne ne penserait plus à moi. Alors seulement je pourrais retourner à mon existence de pauvre diable, inconnu de tous. Mais être pauvre, sans pouvoir rêver, cela doit être l'enfer. J'aime encore mieux continuer à vivre comme maintenant. C'est aussi l'enfer, mais un enfer confortable. Oh ! là ! là ! Je ne dis que des choses que tu ne peux pas comprendre. »

Momo le regardait avec tristesse, elle comprenait que Gigi était malade, très, très malade. Sans pouvoir dire pourquoi, elle savait que Gigi était la victime des messieurs en gris. Mais comment l'aider s'il ne le souhaitait pas ?

« Mais je parle toujours de moi, dit Gigi. Raconte-moi enfin tout ce qui t'est arrivé, Momo ! »

A cet instant, la voiture s'arrêta devant l'aéroport. Des hôtesses en uniforme attendaient Gigi dans le hall et l'invitèrent à se dépêcher pour ne pas rater l'avion prêt à décoller. Quelques journalistes eurent tout juste le temps de le photographier, mais Gigi était trop pressé pour pouvoir répondre à leurs questions.

Il se pencha vers Momo et la regarda. Ses yeux étaient remplis de larmes.

« Écoute, Momo, lui dit-il tout bas pour que

personne ne puisse l'entendre, reste avec moi, pour ce voyage et pour toujours. Tu habiteras chez moi, dans ma belle maison, tu porteras des vêtements de soie et de velours, comme une véritable petite princesse. Tout ce que je te demande, c'est d'être là et de m'écouter. Alors je serai peut-être de nouveau capable d'inventer de belles histoires, des histoires comme avant. Tu t'en souviens ? Tu n'auras qu'à dire : oui, et tout s'arrangera. Aide-moi, je t'en supplie ! »

Momo ne demandait pas mieux que d'aider Gigi. Elle le voulait au point d'en avoir la gorge et le cœur serrés. Mais elle avait l'impression qu'elle ne pourrait aider Gigi à redevenir ce qu'il avait été qu'en restant la Momo qu'il avait toujours connue. Ses yeux, à elle aussi, se remplirent de larmes et elle fit non de la tête.

Gigi comprit Momo, mais il était très triste. Déjà, les dames l'entraînaient — dire qu'il les payait pour cela ! De loin, Gigi fit encore un signe d'adieu auquel Momo répondit, puis il disparut.

Pendant toute cette rencontre, Momo n'avait pas réussi à dire un seul mot alors qu'elle avait tant de choses à raconter à Gigi. Elle eut le sentiment de ne l'avoir vraiment perdu que maintenant, après ces tristes retrouvailles.

Lentement, Momo se dirigea vers la sortie. Tout à coup, il lui vint à l'esprit qu'elle avait aussi perdu Kassiopeïa, et une grande peur la saisit.

16

Une trop grande détresse

« Où va-t-on ? » demanda le chauffeur à Momo, assise à côté de lui.

Bouleversée, la petite fille fixait le sol. Que fallait-il répondre ? Elle ne savait pas où elle voulait aller. Il fallait partir à la recherche de Kassiopeïa. Mais où ? Où l'avait-elle perdue ? Momo savait que la tortue n'était déjà plus avec elle pendant le trajet à l'aéroport. Donc, c'était devant la maison de Gigi qu'il fallait aller. Elle se rappelait aussi avoir lu sur la carapace : « ADIEU » et « JE VAIS A TA RECHERCHE ». Bien entendu, Kassiopeïa savait qu'elles allaient se perdre. C'est pourquoi elle partait à la recherche de Momo. Mais où Momo devait-elle aller la chercher ?

« Alors, ça vient ? demanda le chauffeur en tambourinant avec ses doigts sur le volant. J'ai autre chose à faire qu'à te promener en voiture !

— A la maison de Gigi, s'il te plaît », dit Momo.

Le chauffeur montra sa surprise :

« Je croyais qu'il fallait te ramener chez toi. Ou bien aurais-tu l'intention de venir habiter chez nous, par hasard ?

— Non, répondit Momo, j'ai perdu quelque chose dans la rue et il faut que j'aille le chercher. »

Aussitôt arrivée à destination, elle se mit à fouiller tout alentour.

« Kassiopeïa ! appelait-elle tout doucement. Kassiopeïa !

— Qu'est-ce que tu cherches comme ça ? demanda le chauffeur, intrigué.

— Je cherche la tortue de Maître Hora, elle s'appelle Kassiopeïa et elle sait toujours d'avance ce qui se passera une demi-heure plus tard. Elle écrit aussi des lettres sur sa carapace. Il faut absolument que je la retrouve. Est-ce que tu voudrais bien m'aider ?

— Je n'ai pas de temps à perdre pour ce genre de plaisanteries », grogna le chauffeur et il passa avec la voiture par le portail qui se referma sur lui.

Momo continua toute seule ses recherches. Elle inspecta la rue de haut en bas, mais sans trouver trace de Kassiopeïa.

Elle se dit que la tortue avait peut-être repris le chemin de l'amphithéâtre. Elle retourna donc d'où elle était venue en cherchant dans tous les endroits possibles, continuant à appeler la tortue par son nom, mais ce fut en vain.

Elle n'arriva que tard dans la nuit à l'amphithéâtre, où elle poursuivit ses recherches malgré l'obscurité. Elle avait vaguement espéré que la tortue serait arrivée avant elle à la maison, espoir insensé, étant donné la lenteur de l'animal.

Momo se blottit dans son lit. Pour la première fois, elle était vraiment toute seule. Pendant les semaines qui suivirent, Momo passa son temps à errer dans la grande ville à la recherche de Beppo. Personne ne put lui donner le moindre renseignement. Elle s'en remit donc au hasard. Mais la probabilité de se rencontrer par hasard dans une ville aussi grande était aussi minime que la chance, pour une bouteille jetée à la mer par un homme en train de se noyer, d'être découverte par un pêcheur.

Momo ne cessait de penser qu'elle passait sans doute souvent à des endroits où Beppo s'était trouvé une heure, une minute, ou même une seconde auparavant. C'est pourquoi elle attendait parfois pendant des heures au même endroit. Et quand, n'en pouvant plus d'attendre, elle se remettait en route, elle craignait toujours d'avoir manqué Beppo de peu.

Comme Kassiopeïa lui aurait été utile ! Elle lui aurait dit : « ATTENDS ! » ou : « CONTINUE ! » Sans elle, Momo ne savait jamais comment faire. Elle vivait dans la peur de manquer Beppo, autant en l'attendant qu'en ne l'attendant pas.

Elle gardait aussi l'espoir de rencontrer l'un des enfants qui venaient la voir, ce qui n'arriva jamais. Il n'y avait, d'ailleurs, plus d'enfants dans les rues.

Nino ne lui avait-il pas dit que maintenant on s'occupait d'eux ?

Si Momo ne fut jamais ramassée par la police ou un adulte pour être conduite dans un dépôt pour enfants, ce fut en raison de la surveillance constante des messieurs en gris qui poursuivaient leur plan de bataille avec la plus grande rigueur. Bien entendu, Momo n'en savait rien.

Elle avait pris l'habitude de manger chez Nino une fois par jour. Mais elle ne réussit jamais à avoir avec lui une conversation plus longue que lors de leur première rencontre. Nino était toujours aussi pressé et n'avait jamais de temps à lui consacrer.

Des semaines et des mois passèrent. Momo était toujours seule.

Un soir, comme elle était assise quelque part, sur un pont, elle aperçut au loin un petit personnage qui paraissait balayer avec une rapidité vertigineuse. Elle crut reconnaître Beppo et se mit à l'appeler et à lui faire des signes. Mais le personnage ne lui prêta aucune attention. Momo se mit alors à courir à sa rencontre, mais quand elle arriva à l'endroit où elle l'avait aperçu, il n'y avait plus personne.

« Ce n'était certainement pas Beppo, car son coup de balai, je le connais », se dit-elle.

Certains jours, Momo restait chez elle, dans l'amphithéâtre, espérant que Beppo passerait peut-être pour voir si elle n'était pas rentrée. S'il ne la trouvait pas, il penserait forcément qu'elle était toujours absente. L'idée que cela s'était peut-être déjà produit hier ou quelque autre jour la torturait. Elle attendait donc, mais, bien entendu, en vain. « SUIS DE RETOUR » dessina-t-elle un jour sur le mur de sa chambre. Mais pour lire cette phrase, il n'y avait qu'elle.

Les uniques moments où Momo ne se sentait ni triste ni abandonnée étaient ceux où elle fermait les yeux pour revivre au-dedans d'elle tout ce qu'elle avait vécu chez Maître Hora. Elle voyait la splendeur luxuriante des fleurs, elle entendait chanter les voix. Et, bien que les mots et les mélodies ne fussent jamais les mêmes, Momo pouvait les dire et les chanter en même temps que les voix.

Parfois, elle restait assise, seule, sur les gradins, à longueur de journée. Quand elle parlait ou chantait, il n'y avait que les arbres, les oiseaux ou les vieilles pierres pour l'écouter.

La solitude peut revêtir des formes multiples. Momo vivait son existence solitaire de manière dramatique.

Elle se sentait comme enfermée dans une grotte remplie de richesses inimaginables, mais qui menaçaient de l'étouffer en s'amplifiant de jour en jour. Il n'y avait pas de porte de sortie ! Personne ne pouvait rejoindre Momo, et elle n'avait aucun moyen d'attirer l'attention. Elle était trop profondément enfouie sous une montagne de temps.

Parfois, Momo aurait préféré ne jamais avoir connu les fleurs et la musique. Mais ces moments étaient brefs. En réalité, elle tenait à ce souvenir plus qu'à tout autre chose au monde, même si cela devait lui coûter la vie. Momo comprenait, à présent, que posséder certaines richesses sans pouvoir les partager avec d'autres peut vous faire mourir.

Trois ou quatre fois par semaine, Momo s'installait devant la maison de Gigi dans l'espoir de le revoir. Maintenant, elle aurait été prête à tout : à habiter chez lui, à l'écouter, à lui parler, même si cela ne pouvait plus être comme avant. Mais le grand portail restait fermé.

En réalité, cette situation pénible ne durait que depuis quelques mois ; seulement le temps vécu ne se mesure pas en consultant les montres ou les calendriers, et ces quelques mois parurent interminables à Momo.

Mais que dire de plus de la solitude désespérante de l'enfant ? Si elle avait pu retrouver le chemin conduisant chez Maître Hora, elle serait allée le supplier de ne plus lui attribuer de temps, ou peut-être même de l'accueillir pour toujours dans la maison de Nulle-Part.

Kassiopeïa lui aurait indiqué le chemin, mais la tortue restait introuvable. Était-elle retournée chez Maître Hora ? S'était-elle égarée dans le monde ? Quoi qu'il en fût, elle ne revenait pas.

Mais un autre événement se produisit.

Un jour, Momo rencontra trois enfants qui faisaient partie des habitués de l'amphithéâtre. Il s'agissait de Paolo, de Franco et de la jeune Maria qui, à l'époque, trimbalait partout avec elle son petit frère Dédé. Tous trois avaient beaucoup changé.

Ils portaient une sorte d'uniforme gris, leurs visages étaient figés, mornes. En réponse à l'explosion de joie de Momo, si contente de les avoir retrouvés, ils ne sourirent qu'à peine.

« Qu'est-ce que je vous ai cherchés ! s'écria Momo, tout excitée. Est-ce que vous viendrez me voir tout à l'heure ? »

Les enfants échangèrent un regard puis firent non de la tête.

« Alors, vous viendrez peut-être demain, ou après-demain ? » reprit Momo.

Les enfants secouèrent de nouveau négativement la tête.

« Si, si, venez ! supplia Momo. Avant, vous veniez bien !

— Oui, avant ! répondit Paolo. Mais tout a tellement changé depuis ! Nous n'avons plus le droit de gaspiller bêtement notre temps.

— Mais nous ne l'avons jamais fait non plus, dit Momo.

— C'est vrai qu'avant, c'était bien, dit Maria. Mais ce n'est plus là l'important. »

Très pressés apparemment, les trois enfants se remirent en route. Momo courait à côté d'eux.

« Où est-ce que vous allez, maintenant ? voulut-elle savoir.

— A notre cours de jeux, répondit Franco. On nous apprend à jouer.

— Quoi donc ? questionna Momo.

— Eh bien, aujourd'hui, nous jouerons aux fiches

perforées. C'est un jeu très utile, mais il faut faire diablement attention.

— Et comment est-ce que ça se joue ?

— Chacun de nous représente une fiche perforée. Chaque fiche contient une foule de renseignements : taille, poids, âge, etc. Bien entendu, ces renseignements ne concernent jamais la personne ; ce serait trop facile. Quelquefois, nous représentons aussi des nombres à plusieurs chiffres, par exemple : MUX/763/y. Puis on nous mélange et on nous range dans un fichier. Ensuite, l'un de nous doit trouver une fiche sur indication précise. Il doit poser les questions de façon à pouvoir retirer toutes les fiches fausses et n'en garder qu'une seule à la fin, la bonne. Celui qui va le plus vite gagne.

— Et c'est amusant ? demanda Momo, peu convaincue.

— Ce n'est pas ce qui importe, dit Maria qui paraissait inquiète. Il ne faut pas dire des choses comme ça.

— Mais qu'est-ce qui importe alors ? voulut savoir Momo.

— Il faut que ce soit utile pour l'avenir », expliqua Paolo.

Tout en parlant, ils étaient arrivés devant le portail d'une grande maison grise. Au-dessus de la porte était écrit « Dépôt pour enfants ».

« J'aurais eu tant de choses à vous raconter, dit Momo.

— Peut-être nous reverrons-nous un jour ou l'autre », suggéra Maria tristement.

D'autres enfants entraient par le portail. Tous avaient un peu le même air que les trois amis de Momo.

« Chez toi, c'était beaucoup mieux, dit soudain Franco. Nous avions toujours des tas d'idées. Mais ils disent que c'est inutile parce que cela ne nous apprend rien.

— Est-ce que vous ne pouvez pas tout simplement vous sauver ? » proposa Momo.

Les trois enfants firent non de la tête tout en s'assurant de ce que personne n'avait pu entendre la proposition de Momo.

« Au début, j'ai essayé, même plusieurs fois, chuchota Franco, mais c'est impossible, ils te rattrapent toujours.

— Il ne faut pas dire ça, objecta Maria. Après tout, on s'occupe de nous, maintenant. »

Personne ne savait plus quoi dire ; ils baissèrent tristement les yeux.

« Est-ce que vous ne pourriez pas m'emmener avec vous ? demanda tout à coup Momo. Je suis toujours si seule, ces temps-ci. »

Il se passa alors quelque chose de bizarre. Avant que les enfants eussent le temps de répondre, ils furent comme aspirés par une force magnétique extraordinaire à l'intérieur de la maison. Le portail se referma lourdement sur eux.

Bien que cet incident l'eût effrayée, Momo s'approcha du portail pour sonner. Elle avait une telle envie de jouer avec les autres, à n'importe quel jeu ! Mais à peine eut-elle fait un pas vers le portail qu'elle fut glacée de terreur : un monsieur en gris lui barrait le chemin.

« Inutile ! lui dit-il avec un sourire odieux, son cigare entre les dents. N'essaie même pas ! Nous n'avons aucun intérêt à ce que tu pénètres ici !

— Et pourquoi ? demanda Momo, déjà envahie par un froid glacial.

— Parce que nous avons d'autres projets pour toi, expliqua le monsieur en gris en envoyant en l'air un rond de fumée qui, tel un nœud coulant entoura le cou de Momo puis disparut lentement.

Des gens passaient, mais ils étaient tous pressés.

Momo montra le monsieur en gris du doigt et voulut appeler au secours, mais elle n'arrivait pas à émettre un son.

« Arrête ! dit le monsieur en gris en faisant entendre un rire sinistre et gris comme de la cendre. N'as-tu donc pas encore compris à qui tu avais affaire ? Est-ce que tu douterais de notre pouvoir ? Nous t'avons pris tous tes amis. Plus personne ne peut t'aider. Toi aussi, tu es entièrement en notre pouvoir. Mais, comme tu peux le constater, nous t'avons épargnée.

— Pourquoi ? réussit à demander Momo.

— Parce que nous aimerions que tu nous rendes un petit service, répondit le monsieur en gris. Si tu es raisonnable, cela pourra te rapporter beaucoup à toi et à tes amis. Tu acceptes ?

— Oui », chuchota Momo.

Le monsieur en gris fit un vague sourire.

« Alors, nous nous retrouverons aujourd'hui à minuit pour en discuter. »

Momo fit oui de la tête, mais le monsieur en gris avait déjà disparu.

Seule, la fumée de son cigare traînait encore dans l'air.

Il ne lui avait pas dit où elle devait le retrouver.

17

Un courage
plus grand que la peur

Momo redoutait de revenir à l'amphithéâtre.
Sans doute, le monsieur en gris avec lequel elle
avait rendez-vous à minuit viendrait la retrouver
là-bas.

A l'idée de rester seule avec lui, elle fut saisie
d'horreur.

D'ailleurs, elle ne voulait plus le rencontrer, ni
là-bas ni où que ce soit. Il était évident qu'il ne
pourrait rien lui proposer de bien, ni pour elle ni
pour ses amis.

Mais où et comment se cacher de lui ?

Le plus sûr, c'était, peut-être, de se perdre dans
la foule. Il est vrai que tout à l'heure personne
n'avait fait attention à elle quand elle était aux
prises avec le monsieur en gris. Mais s'il lui faisait
vraiment du mal, si elle criait au secours, les gens
s'arrêteraient certainement pour lui venir en aide.

Elle se dit également qu'elle ne serait nulle part

aussi difficile à retrouver que dans une foule compacte.

Momo passa le reste de la journée et une grande partie de la nuit à marcher au milieu des passants dans les quartiers les plus animés de la ville.

Un moment arriva cependant où elle se sentit totalement épuisée et endolorie par la fatigue. Mais elle ne s'accorda pas de répit et finit par marcher à moitié endormie, de plus en plus loin, loin, loin...

N'en pouvant plus, elle pensa : « Me reposer juste un instant, juste un tout petit instant, ensuite, je serai plus vigilante... »

Arrêtée au bord du trottoir, une petite camionnette, chargée de caisses et de sacs, lui parut faire l'affaire. Momo grimpa et se trouva un sac tout doux qui lui servit d'appui. Elle se recroquevilla sur elle-même, les genoux au menton, ses pieds meurtris blottis sous sa jupe. Elle soupira d'aise et, avant même de s'en rendre compte, elle s'endormit.

Elle fit les rêves des plus embrouillés. Elle vit le vieux Beppo, tel un équilibriste, passer au-dessus d'un abîme noir et profond, son balai lui servant de balancier.

« Où est l'autre bout ? répétait-il sans cesse. Je ne peux pas trouver l'autre bout ! »

La corde semblait, en effet, être d'une longueur infinie. Elle se perdait des deux côtés dans l'obscurité.

Momo aurait tellement voulu aider Beppo, mais elle n'arrivait même pas à attirer son attention. Il était trop loin, trop haut sur la corde.

Ensuite, elle vit Gigi. De sa bouche sortait une interminable bande de papier. Il tirait, tirait, mais il y en avait toujours, la bande ne se déchirait pas. Gigi était déjà perché sur une véritable montagne de bandes de papier déroulées. Il semblait à Momo qu'il l'implorait du regard, comme si, sans son aide, il allait s'étouffer.

Elle voulait courir le rejoindre, mais ses pieds s'entortillèrent dans les bandes de papier, et plus elle cherchait à s'en libérer, plus elle s'y empêtrait.

Puis elle vit les enfants, aussi minces que des cartes à jouer. Les perforations formaient des dessins différents sur chaque carte. Après avoir été mélangées comme par un tourbillon, les cartes devaient de nouveau se retrouver dans l'ordre et furent perforées de trous supplémentaires. Les enfants-cartes pleuraient en silence ; le jeu paraissait recommencer indéfiniment, et, au moment où on les mélangeait, les enfants-cartes tombaient pêle-mêle, les uns sur les autres, avec des bruits effrayants, des craquements et des grincements.

« Arrêtez ! Ne continuez pas ! » cria Momo, mais le bruit l'empêchait de se faire entendre. Et ce bruit s'amplifia jusqu'à la réveiller.

Il faisait nuit noire. Tout d'abord, elle ne sut plus où elle était. Puis elle se rappela s'être assise dans la camionnette qui roulait maintenant. C'était le bruit énorme du moteur qui l'avait réveillée.

Momo essuya les larmes qui coulaient encore le long de ses joues.

Mais où était-elle donc ?

Elle ne s'en était pas aperçue, mais la voiture roulait certainement depuis un bon moment, car elle traversait actuellement un quartier complètement mort et désert de la ville.

La camionnette n'allant pas très vite, Momo sauta sans réfléchir. Elle voulait retourner dans les rues grouillantes de monde où elle se croyait protégée des messieurs en gris. Puis elle se souvint de ses rêves et s'arrêta.

Le bruit du moteur s'éloigna, et ce fut de nouveau le silence.

Momo n'avait plus envie de s'enfuir. Elle s'était sauvée avec l'espoir de se tirer d'affaire. Mais elle n'avait pensé qu'à elle, qu'à sa solitude et à son angoisse. Et, en réalité, c'était ses amis qui avaient besoin d'être sauvés ! S'il n'y avait plus qu'une seule personne au monde capable de leur porter secours, c'était bien elle. Même si l'espoir d'amener les messieurs en gris à libérer ses amis était minime, il fallait tenter sa chance.

Arrivée à ce stade de réflexion, un changement étrange s'opéra soudainement en elle. Son sentiment de peur et de dénuement avait atteint un degré tel qu'il se transforma subitement en son contraire. Elle avait passé le cap. Armée de courage et remplie d'espoir, Momo se sentit capable d'affronter toute force ennemie. Elle ne se souciait plus du tout du sort qui lui était réservé.

C'était elle maintenant qui voulait rencontrer le monsieur en gris, elle voulait le rencontrer à tout prix.

« Il faut que j'aille au plus vite à l'amphithéâtre, se dit-elle. Il n'est peut-être pas trop tard, il m'attend peut-être encore. »

C'était plus facile à dire qu'à faire. Elle ne savait toujours pas où elle se trouvait et n'avait aucune idée de la direction à prendre. Toutefois elle se mit en route, au hasard.

Elle suivait en marchant les méandres des rues obscures où régnait un silence de mort. Comme elle était nu-pieds, elle n'entendait même pas le bruit de ses propres pas. A chaque coin de rue, Momo espérait reconnaître quelque signe qui lui permettrait de mieux s'orienter. Mais elle n'en découvrit aucun. Elle ne rencontra personne à qui demander son chemin. Le seul être vivant qu'elle avait vu était un chien maigre et sale qui fouillait dans les tas d'ordures à la recherche de quelque chose à manger et qui se sauva peureusement à son approche.

Momo arriva finalement sur une énorme place totalement déserte, bordée de maisons dont les contours se dessinaient contre le ciel nocturne.

Elle traversa la place. Arrivée à peu près au centre, elle entendit sonner une horloge. Comme elle sonna longtemps, elle en conclut qu'il était minuit. Momo se dit qu'elle n'avait plus aucune chance de retrouver le monsieur en gris à l'amphithéâtre, où il l'attendait certainement à cette même minute ; or, elle était loin d'être arrivée là-bas.

Il avait certainement dû partir comme il était

venu ; elle n'aurait donc plus la possibilité d'aider ses amis et ne la retrouverait peut-être jamais plus.

Qu'est-ce qu'elle devait faire maintenant, qu'est-ce qu'elle pouvait faire ? Elle ne le savait absolument pas.

« Je suis ici ! » cria-t-elle de toutes ses forces.

Mais elle n'avait guère d'espoir d'être entendue par le monsieur en gris.

Et voici en quoi elle s'était trompée.

Le dernier coup de cloche avait à peine sonné qu'une faible lumière apparut simultanément dans toutes les rues qui débouchaient sur la grande place. Momo comprit bientôt que cette lumière provenait des phares d'une foule de voitures qui roulaient lentement vers le centre de la place, c'est-à-dire précisément vers l'endroit où elle se trouvait. Elle fut vite encerclée par les lumières éblouissantes dont elle chercha à se protéger en se cachant les yeux avec les mains. C'étaient donc bien eux qui arrivaient là !

Mais Momo n'avait pas prévu une action aussi gigantesque. Pendant un instant, tout son courage s'évanouit et, comme toute fuite était impossible, elle se blottit autant que possible dans son grand veston.

Puis elle pensa aux fleurs et aux voix, à la musique et retrouva aussitôt force et courage.

Les voitures étaient maintenant tout près d'elle. Pare-chocs contre pare-chocs, elles s'étaient rangées en formant un cercle dont Momo était le centre.

Les messieurs descendirent de leurs voitures.

Comme ils restaient cachés dans l'ombre, à l'arrière des phares, Momo ne pouvait distinguer combien ils étaient. Elle sentit simplement que des quantités de regards étaient braqués sur elle, des regards qui ne présageaient rien de bon. Elle commença à frissonner.

Pendant un long moment, personne ne dit mot, ni Momo ni aucun des messieurs en gris.

« Voici donc cette jeune Momo ! croassa enfin une voix grise, celle qui pensait pouvoir nous défier. Regardez-la, cette petite chose minable ! »

Ces mots furent suivis d'un bruit de ferraille, celui des éclats de rire de ces messieurs.

« Attention ! chuchota une autre voix grise. N'oubliez pas combien cette fille peut devenir dangereuse. En tout cas, nous n'atteindrons pas notre but en lui racontant des mensonges. »

Momo écoutait attentivement.

« Bien, d'accord ! » reprit la première voix, derrière les phares, essayons d'y parvenir en lui disant la vérité. »

De nouveau, un long silence s'installa. Momo se rendait parfaitement compte que les messieurs en gris avaient peur de dire la vérité. Tous semblaient devoir faire un effort colossal, à en juger par leur respiration oppressée. En tout cas, Momo entendait des bruits ressemblant à des râles.

Enfin, quelqu'un se décida à rompre le silence. La voix, tout aussi grise que les précédentes, venait d'une autre direction :

« Disons les choses comme elles sont. Ma pauvre

enfant, tu es seule. Tu ne peux pas rejoindre tes amis. Tu n'as plus personne avec qui partager ton temps. Tout cela, c'est nous qui l'avons manigancé. Tu peux donc te rendre compte de l'étendue de notre pouvoir. Il est inutile de nous résister. Que représentent pour toi maintenant toutes ces heures solitaires, sinon une malédiction qui t'écrase, un fardeau qui t'étouffe, une mer qui te noie, une torture qui te brûle vive ? Tu es exclue de l'humanité tout entière. »

Momo écoutait sans rien dire.

« Un jour arrivera, continua la voix, où tu ne le supporteras plus, peut-être demain ou dans une semaine ou dans un an. Nous, nous ne sommes pas pressés, nous pouvons attendre. Car nous savons que, tôt ou tard, tu viendras nous voir en rampant et tu diras : je suis prête à tout, à condition d'être délivrée de ce fardeau ! Mais peut-être es-tu déjà arrivée à ce stade ? Tu n'as qu'à le dire ! »

Momo secoua la tête pour dire non.

« Tu ne veux donc pas que nous t'aidions ? » demanda la voix d'un ton glacial.

Une sorte de vague de froid, venant de tous les côtés, se jeta sur Momo, mais celle-ci serra les dents et refit non de la tête.

« Elle connaît la valeur du temps, chuchota une autre voix.

— Cela prouve qu'elle a vraiment été chez... la personne en question », répondit la première voix, également en chuchotant. Puis, s'adressant à Momo d'un ton énergique, elle demanda. «Est-ce que tu connais Maître Hora ?»

Momo fit signe que oui.

«Et tu as vraiment été chez lui ?»

Momo fit oui encore une fois.

«Tu connais donc... les fleurs éphémères ?»

Momo fit oui, pour la troisième fois. Mais elle n'ajouta pas qu'elle les connaissait *si* bien.

Il y eut de nouveau un silence assez long. La voix qui parla ensuite provenait encore d'une autre direction :

«Tu aimes tes amis, n'est-ce pas ?»

Momo fit oui.

«Et tu aimerais bien les arracher à notre pouvoir ?»

Oui, fit encore Momo.

«Si tu le voulais vraiment, tu le pourrais. »

Momo s'enveloppa autant qu'elle le pouvait dans son grand veston. Elle avait si froid qu'elle tremblait de tous ses membres.

«Délivrer tes amis, cela ne te coûterait pas grand-chose. Nous t'aiderons et toi, tu nous aideras. Y a-t-il offre plus équitable ?»

Très attentivement, Momo regarda dans la direction d'où venait la voix.

«Nous aussi, nous aimerions faire la connaissance de ce Maître Hora, tu comprends ? Mais nous ne savons pas où il habite. Tout ce que nous te demandons, c'est de nous amener chez lui. Et, pour que tu sois sûre que nous te parlons franchement et que nous n'avons que de bonnes intentions à ton égard, écoute-moi bien : en échange, nous te rendrons tes amis et vous pourrez de nouveau mener cette vie si gaie et agréable d'avant. N'est-ce pas là une offre qui vaut la peine d'être prise en considération ? »

Momo se mit alors à parler pour la première fois. Elle eut du mal à remuer ses lèvres qui étaient comme gelées.

« Qu'est-ce que vous voulez de Maître Hora ? demanda-t-elle avec difficulté.

— Nous voulons faire sa connaissance, répondit la voix d'un ton cassant qui ne fit qu'accentuer le froid ambiant. Cela devrait te suffire. »

Momo ne réagit pas et resta dans l'expectative. L'agitation gagna les messieurs en gris, ils parurent inquiets.

« Vraiment, je ne te comprends pas, continua la voix. Tu ferais mieux de penser à toi et à tes amis plutôt que de te faire du souci pour Maître Hora. Tu n'as qu'à le laisser faire ! Il est assez grand pour prendre soin de lui-même. De plus, s'il se montre raisonnable et accepte un arrangement à l'amiable, nous ne toucherons pas un seul de ses cheveux. Sinon, nous disposons de moyens pour le forcer.

— Le forcer à quoi ? » demanda Momo dont les lèvres avaient blêmi.

La voix répondit, sur un ton qui traduisait à la fois l'exaspération et l'épuisement :

« Nous en avons assez de ramasser les heures, les minutes et les secondes des hommes une à une. Nous voulons avoir en notre possession la totalité

271

du temps de tous les hommes, et c'est Hora qui devra nous la céder, à nous ! »

Horrifiée, Momo fixa, dans le noir, l'endroit d'où venait la voix.

« Et les hommes, demanda-t-elle, qu'est-ce qu'ils deviendront ?

— Les hommes, ils sont ici de trop, et depuis longtemps ! s'écria la voix, hors d'elle. Ils ont tout fait eux-mêmes pour ne plus avoir leur place sur cette terre. C'est nous qui deviendrons les maîtres du monde ! »

Le froid était devenu si glacial que Momo n'arrivait plus à former des mots avec ses lèvres.

« Mais ne t'en fais pas, Momo, continua la voix, soudain douce et presque caressante. Toi et tes amis, vous faites, bien entendu, exception. Vous serez les derniers hommes qui s'amuseront à jouer et à se raconter des histoires. Vous ne vous occuperez plus de nos affaires, et nous, on vous fichera la paix ! »

La voix s'arrêta, mais reprit aussitôt, venant d'une autre direction :

« Tu sais que nous avons dit la vérité. Nous tiendrons notre promesse, et maintenant, tu vas nous amener chez Maître Hora. »

Presque totalement anesthésiée par le froid, Momo parvint tout juste à dire :

« Même si je le pouvais, je ne le ferais pas. »

Alors une voix menaçante lui dit :

« Qu'est-ce que tu veux dire par "si tu le pouvais" ? Puisque tu as été chez Maître Hora, tu connais le chemin ! Donc, tu le peux !

— Je ne le retrouve pas, murmura Momo. J'ai déjà essayé, mais seule, Kassiopeïa le connaît.

— Qui est-ce ?

— La tortue de Maître Hora.

— Où est-elle actuellement ? »

Momo, qui avait presque perdu conscience, bégaya :

« Elle est re-revenue avec moi, mais je-je l'ai perdue. »

Aussitôt un tohu-bohu de voix très agitées se fit entendre que Momo ne percevait qu'à peine, comme s'il venait de très, très loin.

« Alerte générale ! Immédiatement ! put-elle encore comprendre. Il faut trouver cette tortue ! Chaque tortue doit être examinée ! Il faut trouver Kassiopeïa. Il le faut ! Il le faut ! »

Les voix s'éloignèrent, le calme revint. Lentement, Momo retrouva ses esprits. Elle se retrouva toute seule sur la grande place. Un coup de vent glacial passa, un vent gris comme cendre.

18

Où il faudrait avoir
les yeux derrière la tête

Momo n'aurait su dire combien de temps s'était passé depuis les derniers événements. Ses membres frigorifiés ne retrouvèrent que lentement une sensation de chaleur. Elle était comme paralysée, incapable de prendre une décision.

Fallait-il rentrer à l'amphithéâtre et se coucher ? Maintenant, tout espoir pour elle et ses amis était définitivement perdu ! Maintenant, elle était sûre que les choses ne s'arrangeraient plus jamais.

Et puis, elle avait peur pour Kassiopeïa. Qu'arriverait-il si les messieurs en gris finissaient par la trouver ? Momo se reprocha amèrement d'avoir mentionné la tortue. Mais son esprit était tellement engourdi qu'elle n'avait pas pu réfléchir à ce qu'il fallait dire ou ne pas dire.

« Peut-être qu'elle est rentrée depuis longtemps chez Maître Hora, se dit Momo pour se consoler. J'espère qu'elle ne me cherche plus. Ce serait une chance pour elle — et pour moi... »

A cet instant même, quelque chose frôla doucement son pied nu. Momo eut peur et se pencha en avant pour voir.

La tortue était assise devant elle ! « ME REVOILA » apparut dans l'obscurité sur la carapace.

Sans perdre une seconde, Momo souleva Kassiopeïa et la fourra sous son veston. Elle épia les bruits et regarda tout autour d'elle pour être sûre qu'il n'y avait plus de messieurs en gris dans les parages.

Ils paraissaient effectivement être tous partis.

N'appréciant pas sa cachette, Kassiopeïa fit de grands efforts pour se libérer. Momo la serra fortement contre elle et lui dit tout bas :

« S'il te plaît ! Tiens-toi tranquille !

— POURQUOI TANT D'HISTOIRES ? demanda la tortue par l'intermédiaire de sa carapace.

— Il ne faut pas que l'on te voie, chuchota Momo.

— N'ES-TU DONC PAS CONTENTE ? s'inquiéta la carapace.

— Si, dit Momo au bord des larmes. Si, Kassiopeïa ! Terriblement ! »

Et elle l'embrassa plusieurs fois sur le bout du nez.

« JE T'EN PRIE ! » répondit la tortue avec des lettres franchement rougissantes.

Momo sourit.

« Est-ce possible que tu m'aies cherchée pendant tout ce temps ?

— BIEN SUR !

— Et comment se fait-il que tu m'aies trouvée juste ici et maintenant ?

— JE LE SAVAIS D'AVANCE. »

La tortue l'aurait donc cherchée pendant tout ce temps, tout en sachant qu'elle ne la trouverait pas ? Alors quelle drôle d'idée que d'être partie à sa recherche ! Encore une de ces énigmes à la Kassiopeïa ! Il valait mieux ne pas trop réfléchir si on tenait à garder toute sa tête. De toute façon, ce n'était pas le moment de tenter d'élucider ce problème.

Tout en chuchotant, Momo rapporta à la tortue ce qui s'était passé.

« Et qu'est-ce que nous allons faire maintenant ? » dit Momo en terminant son récit.

Kassiopeïa, qui avait écouté attentivement, répondit sans hésiter :

« NOUS ALLONS CHEZ HORA !

— Tout de suite ? s'écria Momo, terrifiée. Ils te cherchent partout, sauf, apparemment, ici. Est-ce qu'il ne vaudrait pas mieux ne pas bouger ?

— JE SAIS QUE NOUS IRONS ! fut la réponse ferme et décidée de la tortue.

— Alors nous tomberons sûrement droit sur eux, dit Momo.

— NOUS NE RENCONTRERONS PERSONNE », affirma Kassiopeïa.

Les affirmations de la tortue n'étaient pas à mettre en doute. Momo la posa par terre. Mais, au moment de partir, elle se souvint du chemin si long et si pénible qu'elles avaient dû parcourir pour arriver chez Maître Hora ; elle se sentit trop faible pour recommencer.

« Vas-y toute seule, Kassiopeïa, dit-elle avec une toute petite voix. Moi, je n'en peux plus. Vas-y et transmets mes meilleures salutations à Maître Hora.

— C'EST TOUT PRÈS ! » apparut sur la carapace.

Étonnée, Momo regarda autour d'elle et finit par comprendre qu'elles se trouvaient, effectivement, dans ce quartier pauvre et désert de la ville juste à la limite du quartier aux belles maisons blanches.

En rassemblant toutes ses forces, elle aurait donc des chances d'arriver jusqu'à la ruelle Hors-du-temps et à la maison de Nulle-Part.

« Bon, dit Momo, je viens. Mais ne veux-tu pas que je te porte pour avancer plus vite ?

— HÉLAS ! NON !

— Et pourquoi dois-tu absolument marcher toute seule ? »

Alors apparut une réponse énigmatique : « LE CHEMIN EST EN MOI. »

Sur ce, la tortue se mit en route et Momo la suivit, lentement, un petit pas après l'autre.

À peine notre couple eut-il disparu dans une des rues attenantes que les alentours de la place se ranimèrent. Un bruit semblable à un ricanement étouffé se fit entendre. Cachés dans l'ombre, les messieurs en gris avaient écouté toute la scène. Ils avaient dû attendre longtemps, mais ils ne le regrettaient pas. À vrai dire, ils n'avaient pas osé espérer un tel résultat.

« Les voilà ! chuchota une voix grise. Est-ce qu'on les attrape ?

— Bien sûr que non, chuchota une autre voix. On les laisse courir.

— Et pourquoi ? On nous a bien donné l'ordre d'attraper la tortue, et à n'importe quel prix !

— C'est vrai. Et pour quoi faire ?

— Pour qu'elle nous amène chez Hora.

— Eh bien, c'est justement ce qu'elle est en train de faire. Nous n'avons même pas besoin de l'y forcer. Elle le fait spontanément, mais pas intentionnellement pour autant. »

Le ricanement étouffé se fit de nouveau entendre.

« Donnez immédiatement l'ordre aux agents d'arrêter les recherches en ville. Que tous viennent nous rejoindre ! Observez la plus extrême prudence, messieurs ! Que personne d'entre nous ne se trouve sur leur chemin ! Interdiction absolue d'aller à leur rencontre ! Et maintenant, messieurs, suivons tranquillement nos deux guides qui ne se doutent de rien. »

C'est ainsi que Momo et Kassiopeïa ne rencontrèrent pas un seul de leurs persécuteurs. Ceux-ci s'arrangèrent toujours habilement pour rejoindre le groupe de leurs camarades sans être vus de Momo et de la tortue. Une procession de plus en plus longue de messieurs en gris suivait, dans un silence absolu, les deux petites fugitives.

Momo était fatiguée comme elle ne l'avait jamais été. Par moments, elle craignait de tomber et de s'endormir. Mais, mobilisant toute sa volonté, elle faisait un petit pas, encore un, un autre encore, puis cela allait mieux pendant un bout de temps.

Si seulement la tortue n'avait pas marché aussi lentement ! Mais comme il n'y avait rien à faire à cela !... Momo ne regardait plus ni à droite ni à gauche, elle n'observait que ses propres pieds et Kassiopeïa.

Enfin, elles arrivèrent dans le quartier où la lumière n'était ni celle de l'aube ni celle du crépuscule, et où les ombres étaient projetées dans toutes les directions. Étaient là aussi les maisons blanches comme neige et inapprochables, avec leurs fenêtres si noires. Momo reconnut aussi ce monument bizarre consistant en un œuf gigantesque posé sur un cube de pierre noire.

Elles ne devaient, par conséquent, plus être très loin de la maison de Maître Hora, et Momo reprit courage.

« S'il te plaît, ne pourrions-nous pas marcher un peu plus vite ? demanda-t-elle à Kassiopeïa.

— PLUS C'EST LENT, PLUS C'EST VITE », fut la réponse. Et l'animal se remit à marcher, plus lentement encore, semblait-il, qu'auparavant. Momo constata qu'effectivement elles avançaient plus vite. La rue était comme un tapis roulant qui accélérait son allure quand elles ralentissaient.

Tel était le secret de ce quartier tout blanc : plus lentement on allait, plus vite on avançait, ce que les messieurs en gris ignoraient quand ils avaient poursuivi Momo avec leurs trois voitures, et c'est grâce à cette particularité que Momo leur avait échappé.

A l'époque !

Mais maintenant, ce n'était plus pareil. Maintenant ils ne voulaient pas attraper la jeune Momo et la tortue. Maintenant, ils les suivaient, lentement. Ils avaient donc découvert le secret, eux aussi. Derrière Momo et Kassiopeïa, les rues blanches se remplirent peu à peu d'une véritable armée de messieurs en gris. Et, comme ils avaient découvert le secret, ils marchaient, si possible, plus lentement encore que la tortue pour s'approcher plus rapidement d'elles deux. En somme, c'était un concours de lenteur.

Le chemin conduisait en zigzag à travers toutes ces rues de rêve jusqu'au centre du quartier blanc. Les deux amies arrivèrent au coin de la ruelle Hors-du-temps.

Kassiopeïa se dirigea vers la maison de Nulle-Part, et Momo se rappela qu'ici il fallait aller à reculons pour avancer. C'est pourquoi elle fit un demi-tour avant de continuer son chemin.

Son cœur faillit s'arrêter de frayeur.

Semblables à un mur gris vivant, les voleurs de temps s'approchaient. Serrés les uns contre les autres, ils occupaient la rue dans toute sa largeur, véritable armée composée d'un nombre infini d'hommes en gris.

Momo poussa un cri, mais elle n'entendit pas le son de sa voix. A reculons, elle courut dans la ruelle Hors-du-temps et regarda, décontenancée, cette foule de messieurs en gris.

Mais, de nouveau, quelque chose de bizarre se produisit : lorsque les premiers persécuteurs tentèrent de pénétrer dans cette ruelle, ils se réduisirent littéralement à rien sous les yeux de Momo. Leurs mains tendues en avant disparurent les premières, puis leurs jambes et leurs corps, et finalement leurs visages qui exprimaient à la fois la surprise et l'horreur.

Momo n'avait pas été seule à observer ce phénomène. Tous les messieurs en gris qui poussaient par-derrière l'avaient également vu. Ceux du premier rang s'arc-boutèrent contre la masse de ceux qui les suivaient et, pendant un instant, il y eut entre eux comme une bagarre. La colère déformant leurs visages, ils menacèrent Momo de leurs poings serrés.

Mais personne n'osa la suivre plus loin.

Enfin, Momo était arrivée à la maison de Nulle-Part. Le grand portail de métal vert s'ouvrit. Momo se précipita à l'intérieur, courut le long du couloir aux statues de pierre, ouvrit la toute petite porte à l'autre bout, s'y glissa et se dirigea, en traversant la salle aux innombrables montres, vers la petite chambre, au milieu des pendules, se jeta sur le petit canapé et enfouit sa tête sous les coussins, pour ne plus rien entendre, ne plus rien voir.

19

Les assiégés passent à l'action

Momo fut réveillée par une voix très douce. Après un sommeil profond et sans rêves, elle se sentait merveilleusement rafraîchie et reposée.

« L'enfant n'y est pour rien, disait cette voix, mais toi, Kassiopeïa, je ne comprends pas pourquoi tu as agi de la sorte. »

Momo ouvrit les yeux. Maître Hora était assis à sa petite table, devant le canapé et, visiblement soucieux, regardait la tortue installée à ses pieds.

« Comment se fait-il que tu n'aies pas pensé que les messieurs en gris pourraient vous suivre ?

— NE SAIS LES CHOSES QU'À L'AVANCE, apparut sur la carapace. JE NE RÉFLÉCHIS PAS. »

Maître Hora se prit la tête entre les mains et soupira :

« Ah ! là ! là ! Kassiopeïa, parfois, même pour moi, tu restes une énigme ! »

Momo se redressa.

« Voilà notre Momo qui se réveille ! dit genti-

282

ment Maître Hora. J'espère que tu te sens mieux maintenant.

— Très bien, merci, répondit Momo, mais je suis confuse de m'être endormie si vite.

— Ne t'en fais pas, dit Maître Hora. Tu as bien fait. Ce n'est pas la peine de m'expliquer ce qui s'est passé. Tout ce que je n'ai pas pu observer avec mes lunettes, Kassiopeïa me l'a raconté.

— Qu'est-ce qui se passe avec les messieurs en gris ? » demanda Momo.

Maître Hora sortit de sa poche un grand mouchoir bleu :

« On est en état de siège. Ils ont encerclé la maison de Nulle-Part, c'est-à-dire dans la mesure où il leur est possible de s'en approcher.

— Mais ils ne peuvent pas entrer chez nous — ou bien ? » voulut savoir Momo.

Maître Hora se moucha avant de répondre :

« Non, ils ne le peuvent pas. Tu as constaté toi-même ce qui leur arrive, quand ils pénètrent dans la ruelle Hors-du-temps : ils sont réduits à néant.

— Comment est-ce possible ?

— Cela est dû au contre-courant du temps, répondit Maître Hora. Comme tu le sais, dans cette ruelle, il faut tout faire à reculons. Et, tout autour de la maison de Nulle-Part, le temps marche à l'envers. D'habitude, le temps te pénètre et, parce qu'il s'accumule à l'intérieur de toi, tu vieillis. Alors que dans la ruelle Hors-du-temps, tu rajeunis, parce que le temps te quitte. Tu n'as pas rajeuni de beaucoup, bien sûr, juste le temps qui t'a été nécessaire pour longer cette ruelle.

— Je ne m'en suis même pas aperçue, dit Momo, étonnée.

— Il est vrai que cela n'a pas beaucoup d'importance pour un être humain, expliqua Maître Hora. L'homme est complexe et possède beaucoup d'autres biens que le temps. Mais ce n'est pas le cas des messieurs en gris, qui ne sont faits que de temps volé. Lorsqu'ils entrent en contact avec le contre-courant du temps, celui-ci sort d'eux comme d'un ballon crevé. Du ballon, il reste au moins une enveloppe, mais d'eux, il ne reste rien. »

Momo réfléchit fébrilement.

« Est-ce qu'on ne pourrait pas, simplement, faire marcher le temps à l'envers ? finit-elle par demander. Juste un peu. Tous les gens rajeuniraient, ce qui ne serait pas grave, mais, par contre, tous les voleurs de temps seraient réduits à rien. »

Maître Hora sourit :

« C'est une bonne idée, effectivement. Mais comme les deux courants s'équilibrent l'un l'autre, c'est malheureusement impossible. En supprimant l'un, on fait également disparaître l'autre. Il n'y aurait alors plus de temps du tout... »

Il s'arrêta, remontant ses lunettes sur son front.

« C'est-à-dire... », murmura-t-il en se levant pour marcher de long en large dans la petite pièce.

Momo l'observa avec le plus grand intérêt, de même que Kassiopeïa qui le suivait du regard.

Finalement, il se rassit sur sa chaise et examina Momo d'un air scrutateur.

« Tu m'as donné une idée, dit-il, mais sa réalisation ne dépendra pas de moi uniquement. » Et, s'adressant à la tortue, il dit : « A ton avis, ma chère Kassiopeïa, qu'y a-t-il de mieux à faire quand on est assiégé ?

— DÉJEUNER ! fut la réponse.

— Ce n'est pas une mauvaise idée. »

A l'instant même, la table était mise avec les petites tasses en or, le service à déjeuner avec le pot empli de chocolat bouillant, le miel, le beurre et les petits pains croustillants.

Momo avait souvent rêvé à ces choses délicieuses et, affamée, commença aussitôt à manger. Cela lui parut encore meilleur que la première fois, et elle constata que Maître Hora paraissait avoir faim, lui aussi.

« Ils veulent, dit Momo, la bouche pleine, que tu leur donnes le temps de tous les hommes, mais tu ne le feras pas, hein ?

— Non, mon enfant, répondit Maître Hora, je ne le ferai jamais. Comme il y a eu, une fois, le commencement du temps, il y aura aussi une fois la fin, mais seulement quand les hommes n'en auront plus besoin. Mais moi, jamais je ne donnerai aux messieurs en gris le moindre petit instant.

— Mais ils disent, continua Momo, qu'ils ont les moyens de t'y forcer.

— Avant de continuer à en parler, dit-il gravement, j'aimerais que tu les regardes toi-même. »

Et il tendit à Momo les lunettes magiques.

D'abord, elle vit de nouveau le tourbillon de formes et de couleurs qui lui donna le vertige, comme la première fois. Mais sa vue s'accommoda très rapidement aux particularités de ces lunettes.

Devant ses yeux se déployait l'armée des assiégeants.

Une foule dense de messieurs en gris occupait tout le quartier aux maisons blanches en formant un grand cercle dont la maison de Nulle-Part était le centre.

Bientôt, Momo fut frappée par un phénomène qu'elle prit tout d'abord pour de la buée qui se serait formée sur le verre des lunettes ou un trouble de sa vue, car un brouillard étrange estompait les silhouettes des messieurs en gris. Puis elle se rendit compte que cette buée n'était due ni aux lunettes ni à sa vue, mais qu'elle existait effectivement et était en train d'envahir les rues. A certains endroits, elle était déjà très épaisse, opaque ; ailleurs, elle commençait tout juste à se former.

Les messieurs en gris restaient immobiles. Comme toujours, chacun portait un chapeau melon, une serviette de cuir et fumait un petit cigare gris. Mais la fumée ne se résorbait pas. Dans cet air vitreux, absolument immobile, la fumée se transformait en une sorte de toile d'araignée visqueuse qui s'étendait d'une maison à l'autre en s'y agrippant et en obstruant ainsi complètement les rues. Tout autour de la maison de Nulle-Part, la fumée s'agglomérait en nappes épaisses d'un bleu-vert écœurant et qui, en s'empilant rapidement, formaient un grand mur.

Momo constata aussi que de nouveaux venus prenaient parfois la place de ceux qui s'en allaient. Elle n'arrivait pas à comprendre ce qui se passait, où les voleurs de temps voulaient en venir.

Elle enleva les lunettes et regarda Maître Hora.

« Si tu n'as plus envie de regarder, rends-moi mes lunettes, s'il te plaît », dit Maître Hora. En les remettant sur son nez, il continua : « Tu m'as demandé s'ils pouvaient me forcer à faire quelque chose. Tu sais maintenant qu'ils n'ont aucun pouvoir sur moi. Mais, en l'état actuel des choses, le mal qu'ils pourraient faire aux hommes serait pire que tout ce qu'ils ont pu faire jusqu'ici. Et ils pensent que cela leur permettra de me faire chanter.

— Quelque chose de pire ? » demanda Momo, effrayée.

Maître Hora fit oui de la tête :

« Moi, je donne à chaque homme le temps qui lui revient. Les messieurs en gris ne peuvent m'en empêcher. Ils ne peuvent pas non plus retenir le temps que j'envoie, mais ils peuvent l'empoisonner.

— L'empoisonner ? Le temps ? »

La figure de Momo exprimait l'horreur qu'elle ressentait.

« Oui, avec la fumée de leurs cigares, expliqua Maître Hora. Tu ne les as certainement jamais vus sans leurs petits cigares gris ? Eh bien, sans ces cigares, ils n'existeraient pas.

— Qu'est-ce que ces cigares ont de particulier ? demanda Momo.

— Te souviens-tu des fleurs éphémères ? reprit Maître Hora. Ce jour-là, je t'ai dit que tout homme a au-dedans de lui un sanctuaire du temps, un sanctuaire en or, et c'est son cœur. Si les hommes permettaient aux messieurs en gris d'y pénétrer, ceux-ci s'empareraient de ces fleurs, qui, arrachées du cœur des hommes, seraient condamnées à se faner avant l'heure. Elles ne pourraient ni vivre ni mourir et, de tout leur être, auraient la nostalgie des hommes auxquels elles appartiennent. »

Momo écoutait avec toute son attention.

« Mais le mal aussi a son secret. J'ignore où les messieurs en gris conservent les fleurs éphémères qu'ils volent. Je sais seulement qu'ils les congèlent en utilisant le froid qui émane d'eux-mêmes, et que les fleurs deviennent alors dures comme des calices de verre, ce qui les empêche de retourner chez les hommes. Quelque part, profondément enfouis sous terre, doivent se trouver d'immenses entrepôts, remplis de tout ce temps congelé. Mais les fleurs éphémères n'en meurent pas pour autant. »

Momo blêmit d'indignation.

« Les messieurs en gris puisent constamment dans ces stocks. Ils arrachent aux fleurs leurs pétales qu'ensuite ils font sécher ; quand ces pétales sont devenus gris et durs, ils en font des petits cigares ; mais, à ce stade, il y a encore un reste de vie dans les pétales. Comme les messieurs en gris ne supportent pas le temps vivant, ils allument leurs cigares et les fument. C'est cette fumée qui tue définitivement le temps, et c'est ce temps mort qui leur permet d'exister. »

Momo s'était levée.

« C'est inimaginable ! dit-elle. Tant de temps mort...

— Ce mur de fumée qui s'élève en ce moment autour de la maison de Nulle-Part n'est fait que de temps mort. Pour l'instant, il y a encore assez d'air libre pour que je puisse envoyer aux hommes leur temps en bon état. Mais bientôt nous serons enfermés sous une cloche de fumée noire, et alors chaque heure envoyée contiendra un peu de ce temps mort et spectral, celui des messieurs en gris. Et ce temps-là rendra les hommes malades, malades à en mourir. »

Momo, de plus en plus désespérée, voulut savoir quelle était cette maladie.

« Au début, on ne s'en rend pas très bien compte. Un jour, on n'a plus envie de faire quoi que ce soit. On ne s'intéresse plus à rien, on s'ennuie. Cette sensation de déplaisir s'installe et s'accroît lentement, de jour en jour, de semaine en semaine. On devient d'humeur maussade avec un sentiment de vide à l'intérieur. On est mécontent de soi, mécontent des autres. Et, progressivement, même ces sentiments-là disparaissent, et l'on devient indifférent à tout, on devient gris, pour ainsi dire. On ne se sent plus concerné par rien. Il n'y a plus ni colère, ni enthousiasme, ni joie, ni chagrin. On ne sait plus ni rire ni pleurer. Le froid s'installe au-dedans de soi, on n'arrive plus à aimer. A ce stade, la maladie est incurable. On a un visage gris et vide, on ne peut plus que s'agiter dans tous les sens. On devient, à vrai dire, l'un des messieurs en gris. Et cette maladie s'appelle : l'ennui mortel. »

Momo frissonna.

« Et si tu ne leur donnes pas le temps de tous les hommes, demanda-t-elle, feront-ils de tous les hommes ce qu'ils sont eux-mêmes ?

— Oui, répondit Maître Hora, c'est leur moyen de chantage. »

Il se leva et fit quelques pas.

« J'ai toujours espéré que les hommes parviendraient à se délivrer eux-mêmes de ce fléau. Puisque ce sont eux qui ont donné vie aux messieurs en gris, ils auraient également eu la possibilité de s'en débarrasser. Mais maintenant, je ne peux plus attendre ; je suis obligé d'agir. Mais seul, je n'y arriverai pas. » Il regarda Momo : « Veux-tu m'aider ?

— Oui, chuchota Momo.

— Je ne pourrais pas éviter de t'exposer à un très grand danger, dit Maître Hora. Et il dépendra de toi, Momo, que le monde s'arrête pour toujours ou qu'il continue de vivre. En as-tu vraiment le courage ?

— Oui, répéta Momo, mais d'une voix ferme cette fois.

— Alors fais bien attention à ce que je vais te dire, continua Maître Hora, car tu seras absolument seule, sans secours. Ni moi ni personne ne pourrons t'aider. »

Momo donna son assentiment et regarda Maître Hora, tendue à l'extrême.

« Je dois te dire que je ne dors jamais, commença-t-il. Si je m'endormais, le temps s'arrêterait à cet instant même. Le monde s'arrêterait de tourner. Mais, s'il n'y avait plus de temps, les messieurs en gris ne pourraient plus en voler à personne. Ils existeraient encore pendant quelque temps en puisant dans leurs réserves. Mais, après épuisement des stocks, ils seraient inévitablement réduits à néant.

— Alors, c'est tout simple, dit Momo.

— Justement, cela n'est pas si simple, sans quoi je n'aurais pas besoin de ton aide. Car, pour me réveiller, j'ai besoin que le temps existe. Et si je ne me réveillais pas, le monde s'arrêterait de vivre à tout jamais. Mais j'ai le pouvoir de te donner, et à toi seule, une fleur éphémère. Bien entendu, je ne t'en donnerai qu'une puisqu'il n'en fleurit jamais qu'une seule à la fois. Et lorsque le monde sera totalement privé de temps, toi, tu disposeras d'une heure encore.

— Alors, je pourrai te réveiller ! dit Momo.

— Cela ne résoudrait pas notre problème. Imagine que les stocks de ces messieurs soient si importants qu'ils ne puissent être épuisés en une heure. Les messieurs en gris seraient donc toujours là. Ta mission est bien plus difficile. Dès que les messieurs en gris se seront aperçus que le temps s'est arrêté — et ils s'en apercevront très vite, parce qu'ils ne pourront plus se ravitailler en cigares —, ils lèveront le siège et chercheront à retrouver leurs réserves de temps par le chemin le plus court. Il te faudra les suivre pour les en empêcher. Ils arriveront alors très vite au bout de leur dernier petit cigare, et ce sera également leur fin à eux. Mais le plus difficile te restera encore à faire. Quand le dernier voleur de temps aura disparu, tu devras libérer la totalité du temps volé. Le monde ne se remettra à tourner et moi, je ne pourrai me réveiller que lorsque ce temps sera revenu parmi les hommes. Et pour accomplir tout cela, tu ne disposeras que d'une seule heure. »

Momo regarda Maître Hora sans savoir quoi dire. Elle n'avait pas imaginé qu'elle aurait à affronter une telle montagne de difficultés et de dangers.

« Es-tu prête, malgré tout, à tenter ta chance, demanda Maître Hora, la seule et dernière qui nous reste ? »

Momo ne répondit pas.

« JE T'ACCOMPAGNE ! » lut-elle soudain sur la carapace.

Elle ne voyait pas très bien en quoi la tortue pourrait lui être utile. Mais elle ne serait pas toute seule, et cette idée l'encouragea à prendre sa décision.

« J'essayerai », dit-elle.

Maître Hora la regarda longuement, tendrement.

« Parfois, ce sera plus facile que tu ne l'imagines en ce moment. Tu as entendu les voix des étoiles. Tu n'as rien à craindre. »

Ensuite, il s'adressa à la tortue :

« Et toi, Kassiopeïa, as-tu vraiment l'intention d'accompagner Momo ?

— QUELLE QUESTION ! » fut la réponse qui s'effaça aussitôt pour laisser apparaître : « IL FAUT BIEN QUE QUELQU'UN VEILLE SUR ELLE ! »

Maître Hora et Momo échangèrent un sourire.

« Elle aura aussi une fleur éphémère ? demanda Momo.

— Comme Kassiopeïa est un être hors du temps, elle n'en a pas besoin, expliqua Maître Hora tout en chatouillant la tortue tendrement sous le menton. Elle porte en elle son propre temps et pourrait faire le tour du monde, même si tout s'était arrêté pour toujours.

— Bon, dit Momo subitement animée par un grand besoin d'activité. Et qu'est-ce qu'on doit faire maintenant ?

— Maintenant, nous allons nous faire nos adieux », dit Maître Hora.

En faisant un effort pour ne pas pleurer, Momo chuchota :

« Mais est-ce que nous ne nous reverrons plus jamais ?

— Si, Momo, nous nous reverrons, dit Maître Hora, et, en attendant, à chaque heure, tu recevras un signe de vie de ma part. Tu veux bien que nous restions amis, n'est-ce pas ?

— Oui, murmura Momo, émue.

— Je m'en vais maintenant, continua Maître Hora, mais tu ne dois ni me suivre ni me demander où je vais. Mon sommeil n'est pas un sommeil ordinaire : il est préférable que tu n'y assistes pas. Encore une chose : dès que je serai parti, tu ouvriras les deux portes, c'est-à-dire la petite sur laquelle mon nom est écrit et le grand portail de métal vert qui ouvre sur la ruelle Hors-du-temps. Car, au moment même où le temps cessera d'exister, tout s'arrêtera et nulle force, aussi grande soit-elle, n'arrivera plus à faire bouger ces portes. Est-ce que tu as bien compris et bien retenu tout ce que je t'ai dit, mon enfant ?

— Oui, dit Momo. Seulement, comment saurais-je que le temps n'existe plus ?

— Ne t'en fais pas, tu t'en apercevras ! »

Maître Hora se leva ainsi que Momo. Avec douceur, il lui caressa sa tignasse hirsute.

« Porte-toi bien, petite Momo, dit-il. Tu m'as fait un très grand plaisir en m'écoutant, moi aussi.

— Je parlerai à tout le monde de toi, plus tard », répondit Momo.

Maître Hora avait subitement repris un aspect incroyablement vieux, comme une montagne rocheuse ou un arbre séculaire.

Rapidement, il quitta la petite chambre. Momo entendit ses pas qui s'éloignaient et bientôt ne se distinguèrent plus du tic-tac des innombrables montres.

Momo souleva Kassiopeïa et la serra très fort contre elle. L'aventure la plus fabuleuse venait de commencer.

20

Les persécuteurs persécutés

Pour commencer, Momo courut ouvrir la petite porte sur laquelle était écrit le nom de Maître Hora et ensuite le grand portail de métal vert, tellement lourd que ses forces suffirent à peine.

Elle retourna, toujours en courant, dans la salle aux innombrables montres et, Kassiopeïa sous le bras, elle attendit ce qui allait se passer.

Un événement ne tarda pas à se produire.

Il y eut soudain comme un tremblement qui n'ébranla pas le lieu, mais le temps, un tremblement de temps, pour ainsi dire. Il n'y a pas de mots pour décrire ce que Momo ressentit alors. Quelque chose comme un soupir né dans la profondeur des siècles accompagna cet événement.

Cela s'était passé très vite.

L'arrêt instantané des tic-tac et autres bruits des innombrables montres sembla en être la conséquence. Les balanciers s'arrêtèrent en plein mouvement. Plus rien ne bougeait. Un silence absolu et parfait comme encore jamais et nulle part auparavant emplit l'espace. Le temps n'existait plus.

Momo se rendit compte qu'elle portait à la main une fleur éphémère, très grande et merveilleuse. Elle ignorait comment elle était arrivée dans sa main, c'était comme si elle avait toujours été là.

En prenant toutes ses précautions, elle fit un pas. Elle constata avec soulagement qu'elle n'avait aucune difficulté à se mouvoir. Il y avait encore sur la table des restes du petit déjeuner, et Momo s'assit sur une des chaises en tapisserie, maintenant dure comme du marbre. La gorgée de chocolat qui restait dans la tasse s'était transformée en verre incassable, le miel également.

Quant à la tasse, il était impossible de la soulever. Depuis que le temps n'existait plus, chaque chose semblait figée à tout jamais.

Kassiopeïa gigota pour se faire remarquer.

« TU PERDS TON TEMPS ! » apparut sur la carapace.

C'était la vérité ! Et Momo se mit aussitôt à l'œuvre, c'est-à-dire qu'elle courut jusqu'à la petite porte, sortit dans le couloir et, arrivée devant le grand portail ouvert, elle chercha à voir ce qui se passait à l'extérieur. D'horreur, elle recula. Son cœur se mit à battre la chamade. Les voleurs de temps n'étaient pas partis, au contraire, ils avançaient en colonnes serrées vers la maison de Nulle-Part. Elle n'avait pas prévu cette éventualité !

Momo fit demi-tour et, toujours avec Kassiopeïa dans ses bras, alla se cacher derrière une pendule.

« Ça commence bien ! » murmura-t-elle.

Peu après, les pas de messieurs en gris résonnèrent dans le couloir et l'un après l'autre, ils se glissèrent par la petite porte pour former un groupe considérable à l'intérieur de la salle. Ils regardèrent autour d'eux.

« Impressionnant ! dit l'un des messieurs en gris. Voici donc notre nouveau domicile !

— C'est Momo qui nous a ouvert la porte, dit une autre voix grise. Quelle enfant raisonnable ! Cela m'intéresserait de savoir comment elle a réussi à faire céder le vieux !

— A mon avis, reprit une autre voix tout aussi grise, la personne en question ne s'est pas fait prier longtemps. Qu'il ait coupé le contre-courant dans la ruelle Hors-du-temps ne peut que signifier qu'il a reconnu notre supériorité. D'ailleurs, nous ne prendrons pas de gants avec lui. Mais où est-il donc ? »

Les messieurs en gris explorèrent la salle du regard.

« Il y a quelque chose qui ne va pas ! dit soudain quelqu'un. Regardez donc les montres, messieurs ! Elles sont toutes arrêtées ! Même le sablier !

— C'est qu'il les a arrêtées, voilà tout ! expliqua quelqu'un d'autre.

— Un sablier ne s'arrête pas ! s'écria le premier. Et pourtant, regardez bien, messieurs, le sable s'est arrêté en pleine chute ! La montre est immobilisée, elle aussi ! Qu'est-ce que cela signifie ? »

Au même moment, on entendit des pas rapides

dans le couloir, et un monsieur en gris se glissa par la petite porte en s'écriant :

« Dernières nouvelles de nos agents en ville : les voitures ne marchent plus ! Tout est arrêté ! Le monde est arrêté ! Impossible d'arracher le moindre petit bout de temps à qui que ce soit ! Notre ravitaillement de base n'est plus assuré. Le temps n'existe plus ! Hora l'a coupé ! »

Il y eut un bref silence de mort que vint rompre une question :

« Que dites-vous ? Notre ravitaillement n'est plus assuré ? Mais qu'allons-nous devenir après épuisement de nos stocks de cigares ?

— Vous le savez aussi bien que moi ! s'écria un autre. Quelle épouvantable catastrophe ! »

Tout à coup, ce fut la pagaille :

« Hora veut nous exterminer ! — Il faut lever le siège immédiatement ! — Nous devons rejoindre nos stocks de temps ! — Sans voitures ? Nous n'y arriverons pas assez tôt ! Mes cigares seront terminés dans vingt-sept minutes ! — Les miens dans quarante-huit ! — Alors, donnez-m'en, à moi ! — Vous êtes fou ou bien ? — Sauve qui peut ! »

Tous se précipitèrent vers la petite porte. Ils voulaient tous sortir en même temps. De sa cachette, Momo les voyait, complètement paniqués, se battre, se tirer, se bousculer, c'était une véritable bagarre ! Chacun voulait sortir le premier, chacun luttait pour sa vie grise comme cendre. Tout en se battant, ils perdaient leurs chapeaux et s'arrachaient mutuellement leurs petits cigares gris. Aussitôt, ils semblaient vidés de toutes leurs forces. Momo les voyait, les bras tendus en avant, l'air anxieux et pleurnichard. Ils finissaient par devenir complètement transparents et disparaissaient. Il n'en restait rien, même pas leur chapeau.

Au bout de quelques minutes, il ne restait plus que trois messieurs en gris dans la salle ; ils réussirent à s'enfuir par la petite porte.

La tortue sous un bras, la fleur dans l'autre main, Momo courut derrière eux. Il ne fallait plus les perdre de vue, sous aucun prétexte.

En sortant de la maison de Nulle-Part, elle constata que les voleurs de temps avaient déjà atteint le début de la ruelle Hors-du-temps, où un autre groupe de messieurs en gris, noyé dans un nuage de fumée, discutait et s'agitait. Ils se mirent, eux aussi, à courir en voyant leurs camarades quitter la maison de Nulle-Part à toute allure. D'autres rejoignirent les fuyards, et bientôt toute l'armée battit en retraite. Une foule interminable de messieurs en gris cherchait en toute hâte à regagner la ville en passant par le quartier de rêve aux maisons blanches comme neige. Conséquence de la disparition du temps, l'inversion mystérieuse de la vitesse et de la lenteur avait, elle aussi, disparu. La foule des messieurs en gris passa devant le monument de l'œuf gigantesque et atteignit les premières maisons ordinaires, ces bâtiments gris et délabrés où vivaient les hommes en marge du temps. Là aussi, tout s'était figé.

Momo les suivait à distance. Et ce fut le début

d'une poursuite inversée à travers la grande ville. L'immense foule des messieurs en gris fuyait devant une petite fille avec une fleur à la main et une tortue sous le bras.

La ville avait complètement changé d'aspect. Tout s'était arrêté. Dans les voitures, des conducteurs étaient assis, immobiles au volant, la main sur l'embrayage ou le klaxon (l'un d'eux paraissait avoir été immobilisé alors qu'il était en train d'injurier son voisin), il y avait des cyclistes dont un bras s'était immobilisé en l'air, alors qu'ils signalaient un changement de direction ; tous les piétons, hommes, femmes, enfants, chiens et chats étaient figés dans les rues ; même la fumée qui sortait des pots d'échappement avait maintenant l'apparence d'une matière compacte.

Les agents de la circulation, sifflet aux lèvres, s'étaient arrêtés en plein mouvement. Une nuée de pigeons planaient, immobiles, au-dessus d'une place. Très haut dans les airs, un avion paraissait avoir été peint sur le ciel. L'eau des fontaines s'était transformée en verre. Les feuilles qui s'envolaient des arbres étaient restées comme posées dans l'air, immobiles. Un petit chien, la patte levée contre un réverbère, avait l'air d'être empaillé.

A travers cette ville, inanimée comme une photographie, les messieurs en gris couraient, suivis de Momo, qui prenait soin de ne pas se faire remarquer. Mais, de toute manière, les voleurs de temps ne regardaient plus ni à droite ni à gauche, car ils avaient de plus en plus de mal à s'enfuir en courant.

Ils n'avaient pas l'habitude de parcourir de telles distances au pas de course. Ils étaient hors d'haleine. Comme, sans leurs petits cigares gris, ils auraient été perdus, ils devaient les garder à la bouche, ce qui n'arrangeait rien. Ceux qui perdaient leur cigare dans leur fuite étaient réduits à néant avant même de pouvoir le ramasser.

Les difficultés dues aux circonstances extérieures furent bientôt augmentées par celles d'une lutte à mort entre les compagnons d'infortune. Certains, qui avaient fumé leurs cigares jusqu'au bout, arrachèrent, dans leur désespoir, celui de leur voisin. C'est pourquoi le nombre des messieurs en gris diminuait lentement, mais de manière continue.

Si quelqu'un avait encore une petite réserve de cigares dans sa serviette de cuir, il devait attentivement veiller à ce que les autres ne s'en aperçoivent pas. Car ceux qui n'avaient plus rien n'hésitaient pas à se jeter sur les plus fortunés pour leur dérober leur trésor. Des bagarres sauvages se déchaînaient. Ils se précipitaient avidement les uns sur les autres dans l'espoir de rafler quelque chose. Ce qui eut souvent pour résultat de faire tomber par terre les cigares qui étaient ensuite écrasés par les combattants. La peur de disparaître de la surface de cette terre faisait perdre la tête aux messieurs en gris.

Quand ils arrivèrent au centre de la ville, il y eut de nouveaux problèmes. La foule des habitants, figée et immobile, formait comme une forêt si dense que ces messieurs avaient beaucoup de mal

301

à se glisser au travers. Momo, petite et menue, passait facilement. Une simple petite plume, durcie et suspendue, immobile dans l'air, représentait un danger pour les messieurs en gris si, par mégarde, ils s'y cognaient la tête.

Le chemin était long, et Momo ignorait quelle distance restait encore à parcourir. Elle jeta un regard soucieux sur la fleur éphémère. Mais, comme celle-ci venait juste de s'épanouir, il n'y avait pas encore lieu de s'inquiéter.

Tout à coup, Momo aperçut Beppo le balayeur dans une rue attenante, et plus rien n'exista pour elle.

« Beppo ! s'écria-t-elle, folle de joie, en courant le rejoindre. Beppo ! Je t'ai cherché partout ! Où étais-tu pendant tout ce temps ? Pourquoi n'es-tu jamais venu me voir ? Oh ! Beppo, mon cher Beppo ! »

Elle voulut l'embrasser, mais elle rebondit littéralement, car Beppo était dur comme du fer. Momo s'était fait mal, et les larmes lui montèrent aux yeux. Elle regarda Beppo en sanglotant.

Il lui paraissait encore plus petit et plus voûté qu'auparavant. Sa bonne figure était toute pâle et terriblement amaigrie. Comme il ne s'était pas réservé de temps pour se raser, il portait une barbe blanche et hirsute. Dans ses mains, il tenait un vieux balai tout usé. Immobile, comme tout le reste, il était là, regardant à travers ses petites lunettes les saletés dans la rue.

Momo l'avait enfin trouvé, mais trop tard pour

pouvoir l'aider. Peut-être ne le reverrait-elle plus jamais. Comment savoir la fin de cette aventure ? Si elle se terminait mal, le vieux Beppo resterait à cette place éternellement.

La tortue s'agita dans les bras de Momo.

« EN AVANT ! » était écrit sur la carapace.

Momo retourna en courant dans la rue principale et fut absolument consternée. Tous les voleurs de temps avaient disparu ! Elle continua un moment dans la direction qu'elle avait prise auparavant, mais en vain.

Elle avait perdu leur trace !

Que fallait-il faire maintenant ? Désemparée, elle regarda Kassiopeïa.

« TU LES TROUVERAS ! CONTINUE ! » dit la tortue.

Comme Kassiopeïa ne pouvait qu'avoir raison, Momo continua son chemin.

Elle finit par arriver au nord de la ville, dans le quartier des nouvelles constructions. Comme les maisons étaient toutes pareilles et les rues tracées au cordeau, Momo avait l'impression de marcher sur place. C'était un véritable labyrinthe, mais un labyrinthe d'ordre et d'uniformité.

Au dernier moment, alors que Momo était prête à tout abandonner, elle vit un retardataire, un monsieur en gris, tourner le coin de la rue. Il boitait, son pantalon était déchiré, il n'avait plus ni chapeau melon, ni serviette de cuir, mais entre ses lèvres était coincé un petit mégot de cigare qui fumait encore.

Momo le suivit jusqu'à un endroit où une palissade se trouvait à la place d'une maison. C'était une haute clôture de chantier, faite de planches, qui délimitait un vaste carré. Il y avait une porte par laquelle le retardataire se glissa.

Au-dessus de la porte, il y avait une pancarte sur laquelle Momo déchiffra ces mots :

ATTENTION !
DANGER DE MORT !
ENTRÉE INTERDITE
AUX
PERSONNES ÉTRANGÈRES

21

Une fin qui est
un recommencement

Une fois de plus, Momo avait passé trop de temps à déchiffrer la pancarte. Lorsqu'elle pénétra par la porte dans le chantier, il n'y avait plus trace du monsieur en gris.

Devant elle se trouvait un trou profond de vingt à trente mètres environ. Il y avait un peu partout des excavatrices, des pelles mécaniques et d'autres machines. Des camions étaient arrêtés sur une rampe qui descendait vers le fond de l'excavation. Par-ci, par-là, des ouvriers étaient restés figés, pétrifiés dans différentes attitudes.

Où aller maintenant ? Momo ne découvrit rien qui ressemblât à une entrée. Elle regarda Kassiopeïa qui ne paraissait pas plus avancée. Rien n'apparut sur la carapace.

Momo descendit au fond de l'excavation et regarda autour d'elle. Et voilà que tout d'un coup Nicola, le maçon, se trouva devant elle, Nicola qui avait peint le joli tableau sur le mur de sa chambre. Bien entendu, lui aussi était immobile, mais son attitude était bizarre. Sa main était contre sa bouche, comme une espèce de haut-parleur, et il paraissait crier quelque chose à quelqu'un tout en désignant de l'autre main l'ouverture d'un tuyau gigantesque qui, à côté de lui, émergeait du sol. Et le hasard voulut que maintenant il regardât Momo.

Elle ne réfléchit pas longtemps, considéra ce geste comme un ordre et s'engouffra dans le tuyau. Comme celui-ci descendait presque verticalement, Momo se mit à glisser comme sur un toboggan. A chaque virage, elle était projetée de l'autre côté de la paroi. La vitesse folle la médusa, elle fit des culbutes, mais ne lâcha ni la tortue ni la fleur. Plus elle descendait, plus il faisait froid.

A un moment donné, elle se demanda tout de même comment elle s'y prendrait pour sortir de cet endroit peu rassurant, mais avant qu'elle eût trouvé la réponse à cette question, elle arriva à l'extrémité du tuyau qui débouchait sur un couloir souterrain. L'obscurité qui régnait dans le tuyau fit place à une lumière grise comme cendre qui semblait provenir des murs.

Momo se leva et continua à marcher. Nu-pieds, elle se déplaçait sans faire de bruit, mais, devant elle, elle entendit les pas du retardataire qu'elle se mit à suivre. D'innombrables couloirs débouchaient de partout sur le grand couloir, véritable plexus veineux qui s'étendait sous tout le quartier. Puis elle entendit un brouhaha de voix dont elle chercha à déceler l'origine en explorant prudemment du regard les alentours.

Une énorme salle avec, au milieu, une table de conférence tout aussi énorme s'offrit à sa vue. Les messieurs en gris — ou ce qui en restait — étaient assis autour de cette table. Comme ils avaient l'air minable, ces derniers voleurs de temps ! Leurs costumes étaient déchirés, leur calvitie présentait des creux et des bosses, la peur déformait leurs visages.

Mais ils fumaient encore leurs cigares.

Momo remarqua, tout au fond de la salle, la porte immensément grande et entrouverte d'un coffre-fort. Dans la salle, le froid était glacial. Tout en sachant que cela ne servirait à rien, Momo s'accroupit et cacha ses pieds nus sous sa jupe.

« Nous ne devons pas gaspiller nos réserves (cette phrase, qu'entendit Momo, avait été prononcée par un des messieurs qui était à l'extrême bout de la table), car nous ignorons combien de temps cette situation va durer. Le rationnement est de rigueur.

— Nous ne sommes plus tellement nombreux ! s'écria un autre. Avec nos réserves, nous en avons encore pour des années !

— Plus tôt nous commencerons à faire des économies, plus longtemps nous tiendrons, continua le premier orateur en suivant son idée. Vous savez, messieurs, ce que j'entends par économiser. Il n'est pas utile que nous survivions tous à cette catastrophe. Il faut voir les choses de façon réaliste. Tels que nous sommes là, nous sommes trop nombreux.

Il nous faudra considérablement diminuer nos effectifs. C'est l'évidence même ! Je vous prie donc, messieurs, de commencer par vous compter. »

Les messieurs en gris procédèrent à cette opération. Ensuite, le président sortit une pièce de sa poche et dit :

« Nous allons tirer au sort. Pile : les messieurs qui ont un chiffre pair resteront. Face : ceux qui ont un chiffre impair partiront. »

Il jeta la pièce en l'air et la rattrapa.

« Pile ! s'écria-t-il. Ceux qui ont des chiffres pairs restent, ceux qui ont des chiffres impairs sont priés de se désagréger sans délai. »

Un gémissement sourd parcourut le groupe des perdants, mais personne ne fit opposition. Les voleurs de temps aux chiffres pairs enlevèrent les cigares à leurs malheureux collègues, qui se réduisirent aussitôt à rien.

« Recommençons, je vous prie », dit le président.

La même horrible procédure eut lieu une deuxième, une troisième et même une quatrième fois. A la fin, il ne restait plus que six messieurs en gris. Par rangées de trois, ils étaient assis, face à face, au bout de la table immense et se regardaient d'un air glacial.

Momo avait observé toute la scène avec un frisson d'horreur. Elle constata que le froid insupportable diminuait au fur et à mesure que diminuait le nombre des messieurs en gris. Comparée à ce qu'elle avait été auparavant, la température était devenue presque supportable.

« Le chiffre six n'est pas beau ! dit l'un des messieurs en gris.

— Ça suffit maintenant ! répondit celui qui était assis en face du premier orateur. Réduire encore le nombre de ceux qui restent n'y changerait rien. Si, à six, nous ne parvenons pas à survivre à cette catastrophe, nous n'y arriverons pas mieux à trois.

— Peut-être, dit un troisième. De toute manière, rien ne nous empêchera d'en discuter, si cela devient nécessaire. Je veux dire plus tard. »

Personne ne dit rien pendant un moment, puis l'un des six déclara :

« Quelle chance que la porte du coffre-fort ait été ouverte ! Si elle avait été fermée au moment décisif, personne ne serait parvenu à l'ouvrir et nous aurions été tous perdus.

— Malheureusement, vous n'avez pas entièrement raison, expliqua un autre des messieurs en gris. Lorsque la porte est ouverte, le congélateur se réchauffe et, par conséquent, les fleurs éphémères se dégèlent peu à peu. Et vous savez aussi bien que moi qu'une fois dégelées, nous ne disposons d'aucun moyen pour les empêcher de retourner là d'où elles viennent.

— Pensez-vous, dit un troisième, que le froid qui émane de nous ne suffit plus à faire marcher le congélateur ?

— Il est regrettable que nous ne soyons que six, répondit le deuxième monsieur. Il n'est pas difficile de calculer le degré de froid que nous sommes capables de produire. Nous réduire à un nombre aussi petit m'a paru correspondre à une décision trop hâtive et irréfléchie.

— Il fallait bien prendre une décision, s'exclama le premier monsieur, et nous l'avons prise ! »

De nouveau, il y eut un silence.

« Nous resterons donc peut-être assis dans cette salle pendant des années à ne rien faire d'autre que de nous surveiller mutuellement et constamment, dit quelqu'un. J'avoue que cette perspective ne m'enchante pas. »

Momo se mit à réfléchir. Rester ici à attendre n'avait certainement aucun sens. A partir du moment où il n'y aurait plus de messieurs en gris, les fleurs éphémères commenceraient à dégeler d'elles-mêmes. Mais, pour l'instant, il y en avait encore six, et si elle n'entreprenait rien, ils continueraient d'exister. Mais que pouvait-elle faire puisque la porte du coffre-fort était ouverte et que les messieurs en gris avaient la possibilité de se ravitailler en cigares à leur guise ?

Kassiopeïa gigota pour que Momo la regarde.

« TU FERMES LA PORTE ! pouvait-on lire sur la carapace.

— Ce n'est pas possible, chuchota Momo. Tu sais bien qu'on ne peut pas la faire bouger.

— TOUCHER AVEC LA FLEUR ! fut la réponse.

— C'est vrai que cela la fera bouger, si je la touche avec la fleur ?

— TU LE FERAS », dit la carapace.

Puisque Kassiopeïa le savait à l'avance, il n'y avait pas à mettre en doute ce qu'elle avançait.

Tout doucement, Momo déposa la tortue sur le sol. Ensuite, elle cacha la fleur, déjà assez fanée et qui n'avait plus beaucoup de pétales, sous son veston.

Elle parvint à se faufiler sous l'immense table de conférence sans être vue. A quatre pattes, elle longea la table jusqu'à l'autre bout, où elle se trouva assise au milieu des pieds des voleurs de temps. Son cœur battait à se rompre.

Sans faire le moindre bruit, elle prit la fleur qu'elle coinça entre ses dents, puis rampa sous les chaises sans se faire remarquer.

Elle arriva près de la porte ouverte, la toucha avec la fleur en la poussant en même temps de la main. Silencieusement, la porte tourna sur ses gonds et se ferma avec un bruit de tonnerre, qui se répercuta dans la salle et les milliers de couloirs souterrains.

Momo se mit debout. Quasiment pétrifiés d'épouvante, les messieurs en gris la regardèrent fixement. Ils étaient persuadés que personne, en dehors d'eux, n'avait échappé à l'immobilisation générale.

Sans réfléchir une seconde, Momo se précipita vers la sortie. Prenant leur courage à deux mains, les messieurs en gris coururent à sa poursuite.

« C'est bien cette affreuse petite fille ! entendit-elle crier. C'est Momo !

— Ce n'est pas permis ! s'écria quelqu'un d'autre. Pourquoi n'est-elle pas immobilisée, elle, comme tous les autres ?

— Elle a une fleur éphémère ! hurla le troisième.

— C'est avec cette fleur qu'elle est arrivée à fermer la porte ? » demanda le quatrième.

Le cinquième, hors de lui, hurla :

« On aurait pu faire la même chose ! Nous en avons suffisamment !

— Maintenant, il n'y en a plus ! La porte est fermée ! cria le sixième. Il faut lui prendre la fleur, autrement, nous sommes fichus ! »

En attendant, Momo avait disparu quelque part dans le dédale des couloirs. Bien entendu, les messieurs en gris connaissaient mieux qu'elle la topographie des souterrains. Momo courait dans tous les sens. Parfois, elle était à un doigt de se trouver nez à nez avec l'un de ses persécuteurs, mais elle parvint toujours à s'esquiver.

Kassiopeïa participa à sa façon à cette véritable bataille. Comme elle savait toujours à l'avance par où passeraient les persécuteurs, elle se trouvait toujours à temps à un endroit donné pour s'y installer comme obstacle. Les messieurs en gris trébuchaient, tombaient à la renverse, et ceux qui les suivaient trébuchaient sur eux. C'est ainsi que la tortue sauva Momo à plusieurs reprises. Avec cette stratégie, Kassiopeïa elle-même ne fut pas à l'abri d'un bon nombre de coups de pied qui la projetèrent parfois contre le mur. Mais cela ne l'empêcha pas de faire ce qu'elle savait, par avance, qu'elle ferait.

Certains des messieurs en gris, devenus complètement fous, perdirent leurs cigares et furent réduits à néant, l'un après l'autre. Finalement, il n'en resta plus que deux.

Sa fuite éperdue ramena Momo dans la grande salle avec la table si longue. Les deux voleurs de temps coururent après elle tout autour de la table, mais n'arrivèrent pas à l'attraper. Ils essayèrent donc de parvenir à leur but en courant chacun dans une direction opposée. Momo ne voyait plus comment s'en sortir. Collée contre le mur dans un coin de la salle, morte d'angoisse, elle regardait ses deux persécuteurs. Elle serra la fleur contre elle. Il n'y avait plus que trois pétales étincelants.

Le premier persécuteur avança la main pour s'emparer de la fleur, mais le second le tira brutalement en arrière.

« Non ! s'écria-t-il. Cette fleur est à moi ! »

Tous deux commencèrent à se battre. Le premier arracha le cigare des lèvres du second qui, tel un fantôme, tournoya autour de lui-même, devint transparent et disparut. Le dernier des messieurs en gris s'approcha alors de Momo. Il avait encore un mégot au coin des lèvres.

« Donne-moi la fleur ! » haleta-t-il, ce qui lui fit lâcher son mégot.

Il se jeta par terre pour le récupérer, mais n'y parvint pas. Il tourna alors son visage gris comme cendre vers Momo, se redressa péniblement et leva sa main tremblotante.

« Je t'en supplie, ma chère enfant, murmura-t-il, donne-moi la fleur ! »

Momo, la fleur pressée contre elle, n'avait pas

313

quitté le coin où elle se trouvait et, incapable de prononcer un mot, fit non de la tête.

« C'est bien, murmura le dernier des messieurs en gris, c'est bien que... tout soit... fini... maintenant... »

Et lui aussi disparut.

Absolument consternée, Momo fixa l'endroit où son ennemi était étendu un instant auparavant. Mais Kassiopeïa arriva, et sur son dos était écrit : « TU OUVRES LA PORTE ! »

Avec le seul pétale qui restait, Momo toucha la porte et l'ouvrit largement.

Depuis que le dernier voleur de temps avait disparu, il ne faisait plus froid.

Momo entra dans l'immense coffre-fort-entrepôt. D'innombrables fleurs éphémères, ressemblant à des calices de verre, étaient soigneusement rangées, plus belles les unes que les autres, toutes dissemblables. Il y avait là des centaines de milliers, des millions d'heures de vie. Peu à peu, il fit aussi chaud que dans une serre.

Lorsque Momo perdit le dernier pétale de la fleur qu'elle tenait à la main, une sorte de tempête se leva. Des nuées de fleurs éphémères se mirent à tourbillonner autour d'elle, une tempête de tout ce temps libéré et de nouveau vivant.

Comme dans un rêve, Momo regarda autour d'elle et vit Kassiopeïa installée à ses pieds. Sur la carapace, elle lut : « VOLE CHEZ TOI, PETITE MOMO, VOLE CHEZ TOI ! »

Momo ne devait plus jamais revoir Kassiopeïa.

La tempête de pétales augmenta de manière indescriptible. Momo fut soulevée et emportée comme si elle était, elle aussi, une des fleurs qui retrouvaient la terre, la lumière, l'air libre. Elle vola au-dessus de la grande ville. Elle avait l'impression d'être entraînée dans une danse folle au son d'une musique merveilleuse.

Puis le nuage de pétales se posa tout doucement sur le monde pétrifié ; comme des flocons de neige, les pétales fondaient, devenaient invisibles pour retourner ensuite dans le cœur des humains.

Au même instant, le temps fut rétabli. Le monde vivait et bougeait de nouveau, partout. Les voitures roulaient, les agents de la circulation sifflaient, les pigeons volaient et le petit chien se soulageait contre le réverbère. Les hommes ne s'étaient pas rendu compte que le monde s'était arrêté pendant une heure.

Et pourtant, quelque chose avait changé, c'est-à-dire que tous les gens disposaient subitement d'énormément de temps. Tout le monde était ravi, mais personne ne savait qu'en réalité chacun récupérait son propre temps si péniblement économisé.

Un peu plus tard, Momo se retrouva dans une rue. Il lui semblait que c'était là qu'elle avait vu Beppo un moment auparavant. Et vraiment, c'était lui ! Le dos tourné à Momo, appuyé sur son balai, il fixait pensivement le sol, tout comme avant. Il n'était plus du tout pressé et n'arrivait pas à comprendre pourquoi il se sentait subitement apaisé et plein d'espoir.

« Peut-être ai-je enfin économisé les cent mille heures et payé la rançon pour Momo », pensa-t-il.

Au même instant, quelqu'un le tira par la manche ; il se retourna et se trouva face à face avec Momo.

Il n'y a pas de mots pour décrire leur bonheur de s'être retrouvés. Ils riaient et pleuraient à la fois, disaient n'importe quoi, des bêtises, de préférence. Ils étaient ivres de joie. Ils s'embrassaient encore et encore, et les passants s'arrêtaient pour se réjouir avec eux puisque, maintenant, ils avaient tout leur temps.

Bien entendu, pour Beppo, il n'était plus question de travailler ce jour-là. Il mit le balai sur son épaule et bras dessus, bras dessous, tous deux se dirigèrent vers l'amphithéâtre. C'est fou ce qu'ils avaient comme choses à se raconter.

Dans la ville, on voyait ce que l'on n'avait plus vu depuis si longtemps : des enfants qui jouaient dans la rue. Les automobilistes s'arrêtaient pour les regarder en souriant, certains descendaient de leur voiture pour jouer avec eux. Partout, des gens s'étaient retrouvés en petits groupes pour bavarder aimablement, pour manifester leur intérêt les uns envers les autres. Celui qui se rendait à son travail trouvait le temps d'admirer des fleurs devant une fenêtre ou de donner à manger à un oiseau. Les médecins consacraient le temps nécessaire à chacun de leurs patients, les ouvriers n'avaient plus besoin de travailler le plus vite possible, car il n'importait plus de faire le maximum dans un minimum de temps. Pour tout travail à faire, chacun pouvait prendre autant de temps qu'il voulait et qui lui était nécessaire, puisque de nouveau il y en avait suffisamment pour tout le monde.

Beaucoup de gens n'ont jamais su grâce à qui tout se passait de nouveau comme avant, ni ce qui s'était réellement produit pendant cet instant qui, pour eux, n'avait duré qu'un clin d'œil. La plupart d'entre eux ne l'auraient, d'ailleurs, pas cru. Seuls les amis de Momo ont tout su et tout cru.

En effet, quand Momo et Beppo arrivèrent à l'amphithéâtre, tous leurs amis y étaient déjà et les attendaient : Gigi le guide, Paolo, Massimo, Franco, Maria et son petit frère Dédé, Claudio et tous les autres enfants. Il y avait aussi Nino, l'aubergiste, avec sa plantureuse épouse, Liliana, et leur bébé, Nicola le maçon et tous les gens des environs, tous ceux qui étaient toujours venus dans le temps et que Momo avait l'habitude d'écouter.

Les amis de Momo organisèrent une fête gaie, comme eux seuls savaient le faire, fête qui ne se termina qu'avec l'apparition des vieilles étoiles dans le ciel.

Une fois que les explosions de joie, les embrassades, les rires et le brouhaha de voix se furent un peu calmés, tous s'installèrent en un grand cercle silencieux autour de Momo.

Momo se mit debout, au milieu. Elle pensa aux voix des étoiles et aux fleurs éphémères, puis elle commença à chanter de sa voix claire.

Au même moment, Maître Hora, que le retour

du temps avait tiré de son premier et unique sommeil, prit place à la petite table, dans la maison de Nulle-Part. Avec ses lunettes magiques, il observa, en souriant, Momo et ses amis. Il était encore très pâle, comme s'il sortait d'une grave maladie. Mais ses yeux étaient rayonnants.

Puis quelque chose toucha son pied. Il enleva ses lunettes et se pencha en avant. La tortue était assise devant lui.

« Kassiopeïa, dit-il tendrement en lui caressant le cou, vous avez bien travaillé toutes les deux. Comme, cette fois-ci, je n'ai pas pu vous observer, il faudra tout me raconter.

— PLUS TARD ! » apparut sur la carapace. Ensuite, Kassiopeïa se mit à éternuer.

« Te serais-tu enrhumée ? demanda Maître Hora, soucieux.

— ET COMMENT ! » fut la réponse.

— Sûrement à cause du froid qui émanait des messieurs en gris, dit Maître Hora. Je pense que tu es très fatiguée et que tu as envie de te reposer. Retire-toi tranquillement.

— MERCI ! »

Kassiopeïa s'en alla en boitillant et se chercha un petit coin obscur et tranquille. Elle rentra sa tête et ses quatre pattes. Puis, sur son dos, visibles seulement pour ceux qui ont lu cette histoire, apparurent lentement les lettres :

Table

Photos de couverture : Photothèque Hachette ; DR.

IMPRIMÉ EN FRANCE PAR BRODARD ET TAUPIN
Usine de La Flèche, 72200.
Dépôt légal Imp. : 1294N-5 – Edit : 3925.
32-10-0310-07-6 – ISBN : 2-01-014351-5.
Loi n° 49-956 du 16 juillet 1949 sur les publications destinées à la jeunesse.
Dépôt : février 1996.

P
BO
404